月刊文庫 文蔵 2023.10 目次

連載小説

※「闇の絵本」は休載いたします。

月刊文庫 文蔵 2023.10 目次

表紙デザイン・管野はるな／本文デザイン・小林美代子

謀略」小説

CONTENTS

インタビュー 真山 仁 高嶋哲夫

ブックガイド 渦巻く陰謀、虚々実々のかけひき……
現在の世界情勢が見えてくる小説20選！——末國善己

特集

敵か、味方か!? 手に汗握る

「スパイ・国際

ロシアのウクライナ侵攻、緊迫する
東アジア情勢など世界秩序が大きく揺らぎ、
日本も他人事ではいられない時代、
国際謀略やスパイを扱った物語を
ぜひ読んでみてほしい。
第二次大戦時の諜報戦、
もし現代日本でテロが起こったら……。
スケールの大きい物語、
手に汗握る心理戦を楽しみつつ、
あなたの危機意識もきっと高まっていくはず。

複雑な国際政治の最前線を教えてくれる良質なエンターテインメント

取材・文＝末國善己／写真＝ホンゴユウジ

Interview

真山 仁

PROFILE

Mayama Jin

1962年、大阪府生まれ。87 年、同志社大学法学部政治学科卒。同年4月、中部読売新聞(のち読売新聞中部支社)入社。89年11月、同社退職。91年、フリーライターに。2004年、企業買収の壮絶な舞台裏を描いた『ハゲタカ』で衝撃的なデビューを飾る。主な著書に『売国』『標的』『オペレーションZ』『ハゲタカ5 シンドローム』『トリガー』『神域』『当確師 十二歳の革命』『ロッキード』『タングル』『プリンス』などがある。

金融、政治、医療、外交に、エネルギー問題……。国家間にまたがる諸問題をテーマに、数多くの作品を発表されている真山仁さん。そんな真山さんが、作家になるきっかけとなった作品の一つが「スパイ・国際謀略」小説。昔からそのジャンルの小説が好きだったという真山さんに、おすすめの「スパイ・国際謀略」小説と、その魅力についてお話をうかがった。

――以前お話をうかがった時に、相手を油断させるために、わざとサイズのあわないスーツを着て商談に行く『ハゲタカ』の鷲津政彦は、ブライアン・フリーマントルが作った風采のあがらないスパイ、チャーリー・マフィンをモデルにしたとおっしゃっていました。昔からスパイ小説や国際謀略小説がお好きだったのですか。

真山　好きでしたね。高校の頃に初めて読んだのが、映画を先に観たイアン・フレミングの００７か、フレデリック・フォーサイスの『ジャッカルの日』のどちらかです。それから翻訳ものののスパイ小説を読み漁っていました。

――スパイ小説、国際謀略小説に興味を持たれたきっかけは？

真山　高校時代から、小説で社会的なメッセージを伝える作家になろうと考えていました。本格ミステリーも好きですが、社会に物申すなら政治的な話の方が面白い。『ジャッカルの日』

を読んだ時は、同じ地球に住んでいるのに国家間の緊張がこれほど日本とは違うのかと驚きました。当時はスパイ小説を書いていらっしゃる日本の作家が少なかったので、自分が好きな海外ミステリーのように国家を背負うとか、民族を背負うとか、目的のためなら謀略に手を染めるといった小説を、書いてみたいと思ったのが最初です。

——スパイ映画は人気ですが、スパイ小説は本格ミステリー、ハードボイルドと比べると日本ではマイナーです。なぜなのでしょうか。

真山 戦後は、アメリカの軍事力の傘の下にあり、日本に諜報(ちょうほう)機関がなかったからだと思います。内閣情報調査室はスパイ組織ではありませんし、今後、書こうと思って取材している公安調査庁はスパイ的なインテリジェンス（諜報活動）をやっていますが地味です。

あとは池波正太郎(いけなみしょうたろう)さんの『**真田太平記**』のように、スパイ小説が忍者の暗躍する歴史小説として書かれたのも大きいのではないでしょうか。池波さんは海外の映画、特に社会的なテーマを扱った作品が好きだったそうですが、そんな池波さんの描く物語は、忍者の暗躍が戦国史を動かしていく側面を持っており、まさに完璧なスパイ小説です。そのため日本人は忍者に満足してしまい、現代のスパイに興味が向かなかったのかもしれません。

——鷲津が、ホワイトハウスの意思

決定すら操れる力を持つサミュエル・ストラスバーグと戦う『**グリード**』、アルツハイマー病の特効薬の開発現場の周辺で不可解な事件が起こる『**神域**』、光量子コンピューターの開発をめぐり日本とシンガポールが壮絶な駆け引きを繰り広げる『**タングル**』など、金融、医療、新技術の開発といった国策が絡む真山さんの作品は、経済がメインのものでも国際謀略色が強くなっています。

真山　「ハゲタカ」シリーズの鷲津は、常に「情報が武器」と言っていますが、情報を制する者が勝利するのは、ビジネスも国家戦略も同じです。日本が貿易で強かった時代を取材した新聞記者に聞くと、日米貿易交渉でなかなか妥協点が見つからない時は、アメリカ側が一旦休憩を申し入れ、日本の代表団を控室(ひかえしつ)に戻し、そこに仕掛けた盗聴器で彼らの会話を盗聴し、日本がどこまで譲歩できるか探ったそうです。日本人は友好国なら酷(ひど)いことをしないと考えがちですが、国家が絡むビジネスは相手がどれほど親しくても友好だけでは終わりません。非情な事実を伝えるために、スパイ小説や国際謀略小説のエッセンスを強調している面もあります。

――それらの作品と、『トリガー』のような国際謀略を真正面から描いた作品とでは、何か違いはありましたか。

真山　今までの作品は半分以上が民間人なので、勝っても負けても得するか損するかだけでした。『トリガー』の登場人物は、警察、軍、民間人だけど元内閣情報調査室出身といった国家権力を背負った人物が多く、時に冷酷になれるくらいでないと目的を達成できないという点で、世界観が違いました。それと日本には現代を舞台にした国際謀略小説が少ないので、多くの読者に楽しんでもらえるよう、敢えてエンターテインメント性を前面に出しました。スパイ小説のマニアに漫画みたいと批判されるのも覚悟のうえで、映画のような派手な展開を連続させ、格闘シーンを多く盛り込んだのも初めてです。

——『トリガー』は、日本、韓国、アメリカ、北朝鮮が絡む国際謀略小説でしたが、なぜ東アジアをメインにしたのですか。

真山　日本や韓国に基地を持つアメリカなら日本で暗躍してもおかしくないですし、日本で謀略・諜報活動が起こった時の違和感もそれほどないだろうと考えました。また、日本と韓国に米軍基地がある意味を考えて欲しいというのもテーマの一つでした。在日米軍基地の問題は、沖縄の負担軽減ばかりに目がいきますが、岩国、三沢、横田の米軍基地は、沖縄ほど話題になりません。横田基地の管制があるため、日本の航空機が各地からまっすぐ羽田空港に着陸できないのは、まるで植民地と同じです。米軍基地を通して、見えない日本の現状を浮かび上がらせてみました。

――『トリガー』は東京オリンピックが舞台で、実際の東京オリンピックは、新型コロナの影響で開催が延期されました。また日韓、日米、米韓の三国それぞれの関係が、刻一刻と変わっていくなかでの執筆は難しかったのではないでしょうか。

真山　連載当時、韓国は大統領選挙で政権が変わり、日本では、安倍政権がどこまで継続するのか、といった状況でしたので、その変化にヒヤヒヤしながら書いていました。現代を舞台にした国際謀略小説を描くには、その時々の情勢に敏感にならざるをえませんね。

――「スパイ・国際謀略」小説に、いまだに冷戦や第二次大戦を扱ったものが多いのは、歴史的な事実が確定しているということが大きいかもしれませんね。

真山　それはありますね。さらに、時の経過とともに、当時は公開されていなかった情報が解禁されて、新事実が出てくると、今までとは別のアプローチを試みた冷戦や第二次大戦を舞台にした小説が出てくるかもしれません。

その一方で、ベルリンの壁崩壊後、ロシア、アラブ、中国を扱った「スパイ・国際謀略」小説が続々と刊行されており、国際情勢の変化に即して扱う対象が移り変わってきましたね。

――軍事政権下にある東南アジアのミャンマーを想起させる架空（かくう）の国メコ

ンで、有力政治家の息子ピーターと日本で憲法改正反対のデモを行なった大学生の犬養渉が民主化運動を進める『**プリンス**』は、民主主義の重要性を描く一方で、民主主義を推し進める大国が、小国の民主主義を踏みにじる残酷さも描かれていました。

真山　南米、アフリカ、アジアは、複数の宗主国に支配された歴史があり、今も楔が打ち込まれています。インドはイギリスと巧くやっていますが、ミャンマーでは民主派のアウンサンスーチーさんを傀儡にして欧州が利権を手にしようとしていました。『**プリンス**』は、民主主義がテーマですが、それだけなら東南アジアの架空の国を舞台にする必要はありません。若い二人の主人公が目指している民主主義は子供の「ごっこ遊び」にすぎないものでしたので、したたかな大人が出てくれば一握りで潰されます。理想を前提にして、どんな社会を作るのかを考えるのが大人の民主主義です。ただ若い読者に絶望して欲しくなかったので、「ごっこ」を本物の民主主義にするにはどうすればいいか、それを伝えるために、あえて主人公を紛争の中に投げ込みました。

――様々な「スパイ・国際謀略」小説を発表されてきた真山さんのおすすめの「スパイ小説」を教えてください。

真山　まずはジョン・ル・カレです。ル・カレの小説は難解で、映画『裏切りのサーカス』の原作『**ティン**

カー、テイラー、ソルジャー、スパイ』は、多くの人は何が書いてあるか分からないかもしれません。三回読んだ私も、映画を観て「そういうことだったのか」と思うシーンがありました。ただ彼の『**寒い国から帰ってきたスパイ**』は読みやすく、ル・カレの入門書として最適です。

映画の007シリーズが好きな方は、イアン・フレミングの『**カジノ・ロワイヤル**』を読んでください。007シリーズの主人公ジェームズ・ボンドが登場する最初の作品です。映画をご覧になった方からすれば、ボンドが美女と浮名を流すこともないですし、扱う事件も地味な印象を受けるかもしれませんが、読み応え充分です。

最近の作品だと、ミック・ヘロンの『**窓際のスパイ**』シリーズとジェイソン・マシューズの『**レッド・スパロー**』がおすすめです。『窓際のスパイ』は、窓際に追いやられたスパイたちが、MI5が手に負えなかった事件を次々と解決していくので少し漫画っぽいですが、キャラクター小説としてよくできています。バレリーナからスパイになった美女を主人公にした『レッド・スパロー』は、ここ十年のアメリカのスパイ小説で最も完成されていました。

あと一冊挙げるとすると、グレアム・グリーンの『**ヒューマン・ファクター**』です。この作品は、『ティンカー、テイラー、ソルジャー、スパイ』

と同じく、MI6の幹部がソ連の二重スパイだったキム・フィルビー事件をモデルにしています。そのため二作は比較され、グリーンの方が評価が高いですが、それは文学者だったグリーンが、なぜ人は人を裏切るのかに迫ったからだと考えています。

――次に、おすすめの「国際謀略小説」を教えてください。

真山　冒頭でも少し触れた、凄腕（すごうで）の暗殺者が、ド・ゴール大統領の暗殺に失敗した理由を緻密（ちみつ）に組み立てたフレデリック・フォーサイスの『**ジャッカルの日**』です。意外に面白かったのは、アイラ・レヴィンの『**ブラジルから来た少年**』で、ヒトラーの遺伝子を持つ少年たちを第二のヒトラーにする謀略が出てきて、多少無理な展開はありますがネオナチものでは傑作です。ネオナチものでは、連城三紀彦（れんじょうみきひこ）さんの『**黄昏のベルリン**』も外せません。

暗殺ものは『ジャッカルの日』が頂点ですが、最近の作品ではマーク・グリーニーの『**暗殺者グレイマン**』がおすすめです。グレイマンのシリーズは、CIAと戦う物語とフリーランスとしてメキシコの麻薬カルテルや人身売買組織と戦う物語が交互に刊行されていて、CIAと戦う時は暗殺ものやアクションの面白さだけではなく、アメリカ社会の現状や問題を丁寧に描いています。グレイマンの上司のブルーアというのが嫌な女性で、それよりも嫌なハンリーという男も出てきて人物造形も見事です。

――次々に作品名が挙がるほど、真山さんを魅了してやまない「スパイ・国際謀略」小説には、どんな魅力があるのでしょうか。

真山　初めて読む方に知っておいて欲しいのは、「スパイ・国際謀略」小説が三、四年先の世界情勢を予見していることです。トム・クランシーとマーク・グリーニーの共著で、クランシーの遺作になった『**米露開戦**』は、ロシアのクリミア侵攻とウクライナ侵攻を的中させました。国際謀略小説は、複雑な国際政治の最前線を良質なエンターテインメントを通して、わかりやすく教えてくれるのが魅力だと感じています。

真山仁さんの国家間の緊張を描いた作品

『タングル』
小学館
定価：1,870円

『プリンス』
PHP研究所
定価:1,870円

『トリガー』（上・下）
角川文庫
定価：各748円

＊定価は税10％です。

真山仁さんがおすすめするスパイ・国際謀略小説

タイトル	著者	出版社	定価 (10%税込)
真田太平記（全12巻）	池波正太郎	新潮文庫	各825～ 990円
ティンカー、テイラー、 ソルジャー、スパイ	ジョン・ル・カレ	ハヤカワ文庫	1,210円
寒い国から帰ってきたスパイ	ジョン・ル・カレ	ハヤカワ文庫	990円
007／カジノ・ロワイヤル	イアン・フレミング	創元推理文庫	836円
窓際のスパイ	ミック・ヘロン	ハヤカワ文庫	1,210円
レッド・スパロー（上・下）	ジェイソン・ マシューズ	ハヤカワ文庫	各924円
ヒューマン・ファクター	グレアム・グリーン	ハヤカワ epi文庫	1,144円
ジャッカルの日（上・下）	フレデリック・ フォーサイス	角川文庫	各1,144円
ブラジルから来た少年	アイラ・レヴィン	ハヤカワ文庫	品切中
黄昏のベルリン	連城 三紀彦	創元推理文庫	1,320円
暗殺者グレイマン	マーク・グリーニー	ハヤカワ文庫	1,254円
米露開戦（全4巻）	トム・クランシー マーク・グリーニー	新潮文庫	品切中

もし東京がテロに襲われたら？それをシミュレーションした物語です

取材・文＝末國善己

Interview

高嶋哲夫

PROFILE

Takashima Tetsuo

1949年、岡山県生まれ。94年、『メルトダウン』（講談社）で小説現代推理新人賞を受賞。そのほかの著書に、『原発クライシス』『ＴＳＵＮＡＭＩ』『Ｍ８』『富士山噴火』（以上、集英社）、『首都崩壊』『日本核武装』（以上、幻冬舎）、『首都感染』（講談社）、『EV』『パルウィルス』（以上、角川春樹事務所）、『ライジング・ロード』『世界に嗤われる日本の原発戦略』『官邸襲撃』（以上、ＰＨＰ研究所）など多数。

『ＴＳＵＮＡＭＩ』『首都感染』など、数々のクライシス小説を世に送り出し、そのリアルな内容で読者の心に衝撃を与え続けている高嶋哲夫さん。
日本初の女性総理を守る、女性警護官・夏目明日香の活躍を描いたシリーズの待望の新作『首都襲撃』は、前作の『官邸襲撃』で描かれた事件から一年後、トラウマを抱えながらも復帰した明日香が、首都・東京を狙うテロ組織に立ち向かっていく姿を描いた物語だ。
本作の魅力に迫った。

男性中心の場で女性を活躍させたくて

――高嶋さんは、『スピカ 原発占拠』『ミッドナイト・イーグル』などの国際謀略小説を発表されていますが、昔からこうした小説が好きだったのですか。

高嶋 小説はあまり読んでいないのですが、洋画のアクションものは好きでした。最近は、勉強のために映画を早送りで繰り返し観ることが多いですね。

――好きな映画を教えてください。

高嶋 トム・クランシー原作のジャック・ライアンのシリーズなどは好きで、『レッド・オクトーバーを追え』からすべてＤＶＤを持っています。

――新作『首都襲撃』は、初の女性総理・新崎百合子とアメリカの国務長官が会談する首相官邸がテロ集団に占拠(きよ)され、総理付きの初の女性警護官・夏目明日香がテロリストと戦う『官邸襲撃』の続編です。明日香は今回も活躍しますが、なぜ女性警護官を主人公にしたのですか。

高嶋　ホワイトハウスが武装集団に占拠される映画「ホワイトハウス・ダウン」などを観ましたが、主人公はすべて男性。これからは女性が男性中心の職場にも入っていって欲しいという想いがあったので、男性が多い警護官に女性を入れようと考え、夏目明日香というキャラクターを作りました。

――本書では、東京の中心部で大規模なテロが連続して起き、前作よりもスケールアップした内容となっていますが、テロ組織のターゲットはどのように選ばれたのですか。

高嶋　前作は官邸という閉鎖空間でのアクションだったので、同じパターンを使いたくありませんでした。それで範囲を広げ、東京全域を舞台にしました。

――新崎総理が呼び掛けた「テロ撲(ぼく)滅(めつ)世界会議」が東京で開かれることになり、それを阻(そ)止するためイスラム原理主義のテロ組織IS（イスラム国）の後継組織NISが中心になってテロを実行します。テロ撲滅世界会議は、日本で大規模なテロが起こる必然性を確保するために思い付かれたのですか。

高嶋　それはあります。イスラム原理主義のテロリストの背景には、メンバーを匿(かくま)ったり、活動の資金援助をしたりする国の存在があります。支援する国がある限りテロはなくなりませんから、平和を望むのであれば、先進国が中心となって様々な取り決めをしてテロ支援国をなくしていく必要があります。そうした会議が開かれれば、当然、テロリストに狙われると考えました。

――ＮＩＳのようなＩＳの後継組織は、実際に生まれるのでしょうか。

高嶋　最初に物語を考えた頃は、まだＩＳが強く本当に国家を造るのではという勢いがありましたが、米軍などの攻撃で弱体化しました。ただ、生き残ったメンバーはいるので、何かの切っ掛けがあれば再び大きくなるかもしれません。だからこそ国際社会が連携して押さえ込む必要があるんです。

――世界会議では、十三歳でＮＩＳに誘拐されて戦闘訓練を受けさせられ、強制的な結婚という形で人身売買の犠牲にもなったマリナ・エゾトワが演説することになります。命を狙われてもテロ組織の実態を世界に発信しようとするマリナは、マララ・ユスフザイさんをモデルにしたように思えましたが。

高嶋　そうです。教育こそが世界を変えるというマララさんの国連演説で、世界中の人たちの心が揺さぶられたのは、言葉に力があったからです。同じようにマリナは言葉で世界を変えようとします。テロ組織に誘拐され訓練で戦闘マシーンに変えられた少年兵を社会復帰させる団体のドキュメンタリーを見ていたので、当初はマリナの女性兵士の側面を強調するつもりでした。日本にいると人身売買は遠い世界の話のようですが、今も世界中で組織的な人身売買が行われています。日本が世界で発言権を強めるためには組織的な誘拐(ゆうかい)、人身売買の実態を知り、それを止める方法を提示する必要があるので、その象徴としてマリナを出したというのもあります。

テロと戦える政治家が日本にも増えてほしい

――東京でのテロは連続爆破から始まり、狙撃、ドローンを使った攻撃、誘拐など様々な手法が出てきますが、いずれもリアリティがありました。

高嶋　テロの資料は読みましたが、それよりも、どのようにすれば安全なはずの東京が破壊できるかを考えて必要な手段を出していった感じです。

――テロリストが大量の武器を入手する方法や、それらを使ったテロも恐ろしいほど具体的に描かれています。

高嶋　日本は島国で警察も優秀なので、作中で指摘したように武器の入手は困難です。前作では米軍が関与していたので、本書ではその続きのような方法を取っています。ウクライナ侵攻で、ロシアのワグネルが注目を集めました。ワグネルは民間軍事会社にもかかわらず、戦車やミサイルまで持っていて、アフリカでは内戦に介入することもあります。こうした民間軍事会社は世界中にあり、そこを通して日本に武器が入ってくる可能性なども考えながら書いたので、それがリアリティに繋がったのかもしれません。

ロシアのウクライナ侵攻でも使われたドローンによる攻撃を書きました。ドローンは日本では美しい景色の空撮など良い面が強調されていましたが、東京もいつウクライナと同じになるか分からないというメッセージを込めました。

――同僚をテロで亡くしたニューヨーク市警の刑事ジョン・ハーパーが、日本の警察と明日香の相談役になります。ジョンを重要な役で出したのは、国際テロに慣れていない日本の警察では、力不足と考えたからですか。

高嶋　それはありました。日本の警察では限界があるので、テロの捜査に慣れたアメリカの警察官としてジョンを出しました。

――実際に日本で大規模テロが起こったら、警察は対処できないですか。

高嶋　その判断は難しいです。連載中に、安倍元総理が銃で撃たれて亡くなり、岸田総理に爆発物が投げられる事件もありました。これらは手製の武器を造った一般人の犯行でしたが、プロが殺傷能力の高い武器を使っていたら被害は大きくなっていたはずです。そうなると日本の警察が対処できるか不明で、恐ろしい事態になるかもしれませんが、日本は島国なので水際対策ではは警察が有利になるはずです。

――テロの被害が大きくなるにつれ、新崎総理は世界会議を中止すべきか迷いますが、最終的には開催を決断します。今の日本に、新崎総理ほど強い政治家がいるのか、と考えながら読んでいました。

高嶋　ダッカで日航機がハイジャックされた時、福田赳夫総理が「一人の生命は地球より重い」といって身代金を支払い、超法規的措置で収監中の過激派を釈放しました。日本はテロリストの要求に応じたと世界に批判されたので、テロに屈しない姿勢を示すことは重要です。新崎総理がテロに立ち向かえたのは、人質になった前作の経験でテロの恐ろしさを知り、テロを撲滅しなければならないという強い意志を持ったからです。テロの脅威を正しく理解できれば、新崎総理のような政治家が出てくるかもしれないですね。

明日香の成長物語を書けた

――明日香も迷いながら、テロと戦う道を選んでいました。

高嶋　警護官の明日香は、前作で人を殺し過ぎたのでトラウマを抱えるようになりました。警護官は犯人の逮捕ではなく、要人の警護が任務です。そのためには犯人を殺すことも必要ですが、明日香は迷い、ジョンが代わりに銃を撃つこともあります。トラウマを抱えた明日香がテロリストと戦うシーンは、人を守るためなら人を殺してもいいのか、ということを考えながら読んでほしいです。悩み苦しんでいた明日香が、ある切っ掛けで、迷いなく自分は誰かの楯（たて）になれるという決意を固める終盤の展開は、いい成長物語になったと考えています。

――新崎総理と対照的なのが、アメリカ大統領のジョージ・アルフレッドで、世界会議に出席するか欠席するかの判断も、テロ撲滅への強い意志からではなく、次の大統領選への影響を最優先に考えて動いていました。それほど大統領選は、重要なのでしょうか。

高嶋　やはり、世界で最も権力を持っている一人ですから。大統領と副大統領では持っている権力に天と地ほどの差があります。大統領が死ねばその席がまわってくる副大統領なら、自身の権力のために怪しい動きをするかもしれないと考え、意外な展開を作ってみました。アルフレッド大統領は、バイデン大統領がモデルなので、アメリカ人には怒られるかもしれません（笑）。

――終盤の苦い展開が、テロとの戦いの難しさを実感させてくれました。

高嶋　誰も不幸にならないで終わると、リアリティがありません。だから何人かの登場人物には、大きな犠牲を払ってもらいました。

――今後の日本のテロ対策、国防はどのようにあるべきでしょうか。

高嶋　よく日本が攻められたら、そのまま殺されるのか、戦うのかを問う人がいますが、その前に、攻められないようにするという方法があります。それは、抑止力としての軍備増強ではありません。今回はテロの撲滅会議を書きましたが、戦争の撲滅会議があってもいいはずです。ウクライナ侵攻では原発への攻撃が問題になっていますが、戦時下における原発の扱いといった細かい取り決めを作り、それを発展させると戦争の抑止に繋げられるかもしれません。日本は平和な時期が長かったので、戦争の撲滅なら中心になれる可能性があります。個人的には、どんな戦争も反対です。

――作中には、日本でテロが少ないのは「存在感が薄い」からだという台詞があります。日本が表舞台に出るとテロの標的になるかもしれませんね。

高嶋　そうです。目立つと歪み（ゆが）を生むので、そこをテロリストが狙ってくるかもしれません。ただ、日本が世界のリーダーになりたいのであれば、乗り越えていかなければならない壁です。

――今後も明日香のシリーズは継続されるのでしょうか。

高嶋　まだ何も考えていないのですが、官邸、首都と来たので、次を書くとすれば列島になるでしょうか（笑）。

『**首都襲撃**』
PHP研究所
定価:2,530円

＊定価は税10％です。

渦巻く陰謀、虚々実々のかけひき……

現在の世界情勢が見えてくる小説20選！

文・末國 善己

個性あふれる登場人物と、時代を鋭く反映した物語背景で読者をひきつけるスパイ・国際謀略小説。今回は、海外の作品から現代日本を舞台とした小説まで、選りすぐりの作品を紹介する。

魅力的なキャラクターが登場する海外スパイ小説

スパイ小説、国際謀略(ぼうりゃく)小説は、周辺国との間で緊張が高まったり、実際に戦端が開かれたりすると作品数が増える傾向にある。

『三十九階段』
ジョン・バカン著／創元推理文庫
品切中

第一次世界大戦の前後は、平凡な青年が諜報戦に巻き込まれるジョン・バカン『**三十九階段**』、イギリスの諜報機関に所属していたサマセット・モームがリアルなスパイを描いた『**英国諜報員アシェンデン**』などを経て、イギリスの物理学者が原子爆弾の開発を阻止するため東欧の小国へ向かう『**暗い国境**』などを発表したエリック・アンブラーが、近代的なスパイ小説を確立したとされる。

第二次世界大戦を勝利に導くため各国が高度化させた諜報技術は、戦後の東西冷戦下で発展し、この状況が良質なスパイ小説を生み出していった。

英国海軍情報部での勤務経験があるイアン・フレミングの『**カジノ・ロワイヤル**』は、００７ことジェームズ・ボンドが初登場した作品である。

フランス共産党系労働組合のル・シッフルが、資金を使い込みギャンブルに勝って穴埋めを計画しているので、バカラで勝負し破滅させるのが任務となる。この作品のボンドは後のシリーズのようなスーパー・ヒーローではないので、特に映画のイメージが強いと、平凡な姿が意外に思えるだろう。

『暗い国境』
エリック・アンブラー著／創元推理文庫
品切中

『英国諜報員アシェンデン』
サマセット・モーム著／新潮文庫
定価：781円

冒険活劇色が強い007シリーズとは対照的に、敵スパイとの息詰まる頭脳戦、心理戦で読ませるのが、やはりイギリスの秘密情報部で働いていたジョン・ル・カレの『**ティンカー、テイラー、ソルジャー、スパイ**』である。この作品は、モグラ（二重スパイ）、ハニートラップ（色仕掛け）など今では一般的になった諜報戦の隠語を広めたとされている。

引退していたジョージ・スマイリーは、サーカス（英国秘密情報部）の中にいるソ連のモグラを捜して欲しいと頼まれる。過去の膨大な記録を調べ、関係者から話を聞く地道な捜査を続けたスマイリーは、ティンカー（鋳掛屋）、テイラー（仕立屋）、ソルジャー（兵隊）の暗号名を持つ幹部三人の誰かがモグラだと確信し、裏切者を炙り出す罠を仕掛けていく。

時系列が錯綜し、難解な表現も多いので読みやすいとはいえないが、それが一歩先が見えないほど複雑に入り組む諜報戦の世界を鮮やかに再現していた。

ＣＩＡのジャック・ライアンが初登場したトム・クランシー『**レッド・オクトーバーを追え**』は、情報分析に着目している。

『ティンカー、テイラー、ソルジャー、スパイ』〈新訳版〉
ジョン・ル・カレ著／ハヤカワ文庫
定価：1,210円

『007 カジノ・ロワイヤル』
イアン・フレミング著／創元推理文庫
定価：836円

アメリカの原子力潜水艦ダラスが、ソ連の新鋭潜水艦レッド・オクトーバーの不可解な動きを摑んだ。アナリストのライアンは、ソ連やダラスからもたらされる情報を分析し、レッド・オクトーバーの艦長ラミウスが亡命を考えていると確信するが、上層部は否定する。正しいのは、どちらか？

この作品の時代より監視衛星やドローンが発達した現代の方が、諜報活動に使える情報は圧倒的に多い。ただライアンの活躍を読むと、的確に分析ができる人材がいなければ、情報は宝の持ち腐れになる危険があると分かる。

ジャーナリスト出身のフレデリック・フォーサイスは、徹底した取材による予見的な作品を発表しているが、**『悪魔の選択』**もその一作である。

ソ連の穀物生産量が激減するとの情報を手にしたアメリカは、食料輸出を条件に核兵器削減交渉を締結させたいと考える。ソ連の書記長は反対派を押し切って軍縮交渉を始めるが、ソ連を憎むウクライナ人ドレークのグループがKGB議長を暗殺した。実行犯が西ベルリンで収監されると、ドレークは超巨大タンカーを

『レッド・オクトーバーを追え』(上・下)
トム・クランシー著／文春文庫
品切中

ジャックして釈放を要求する。暗殺事件が露見すれば失脚する書記長は、実行犯を解放すれば軍縮交渉を打ち切るという。アメリカは書記長の失脚を恐れて実行犯を解放しないよう圧力をかけるが、タンカーが爆破されたら汚染される北海周辺諸国は解放を要求する。英国秘密情報部のウクライナ系イギリス人マンローは、この事態を収拾するために奔走する。

ロシアによるウクライナ侵攻があった状況で読むと、ウクライナの反ソ連（現ロシア）感情の根深さが伝わり、なぜウクライナが徹底交戦しているのかが納得できるはずだ。作中ではウクライナ人のテロを止めようとするアメリカが、今はウクライナを支援している構図も、考えてみると皮肉である。

ラーラ・プレスコット**『あの本は読まれているか』**は、ソ連では反体制的として禁書になったボリス・パステルナーク『ドクトル・ジバゴ』を密かに流布し、共産主義国家の欺瞞を知らしめるCIAの政治工作を描いた異色作である。

物語は、この工作に従事するロシア系移民のイリーナ、パステルナークと愛人のオリガら多くの登場人物の視点で進む。秘密警察

『悪魔の選択』（上・下）
フレデリック・フォーサイス著／角川文庫
品切中

に狙われ収容所に入れられるオリガのパートは、ソ連の暗部を活写していた。だがアメリカも楽園ではなく、CIAで働く女性たちは大学を出ているのに仕事はタイピストで、同性愛者というだけで職場を追われる者もいた。この作品は、社会を変える文学の力を描くと同時に、現代まで続く社会問題にも迫っているのである。

平和な日本の裏側で繰り広げられる戦い

日本のスパイ小説、国際謀略小説も、冷戦下やその前の第二次大戦を舞台にした作品が多い。佐々木譲（ささきじょう）『エトロフ発緊急電』は真珠湾（しんじゅわん）攻撃の秘話となっている。

日系アメリカ人のケニー斉藤は、義勇兵（ぎゆうへい）としてスペイン内戦で戦うが、戦争の暗部に触れ民主主義に幻滅した。暗黒街の暗殺者になり殺人現場をアメリカ情報部に押さえられたケニーは、免責と引き換えにスパイとして日本へ潜入する。日本海軍機動部隊が択捉（エトロフ）島の単冠（ヒトカップ）湾に集結するとの情報を摑んだケニーは、憲兵隊の追跡をかわしながら現地に向かうが、日本人の母とロシア人の

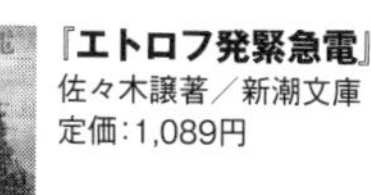
『エトロフ発緊急電』
佐々木譲著／新潮文庫
定価：1,089円

『あの本は読まれているか』
ラーラ・プレスコット著／創元推理文庫
定価：1,320円

父を持つ岡谷ゆきと知り合い恋に落ちる。この展開は、ケン・フォレット『**針の眼**』へのオマージュなので、二作を読み比べてみるのも一興だ。アメリカで差別され、スペイン内戦で民主主義の欺瞞を目にしたケニーの視点を通して、国家、民族、民主主義とは何かを問い掛けていた。

柳広司『**ジョーカー・ゲーム**』は、太平洋戦争前夜、結城中佐が設立したスパイ養成学校「D機関」（モデルは陸軍中野学校。西村京太郎の名作スパイ小説『**D機関情報**』を意識した可能性もある）の卒業生たちが、世界各国で繰り広げる謀略戦を描く連作短編集である。アメリカ人技師が隠した機密文書を探す表題作。イギリス領事がテロ計画の黒幕かをD機関員の蒲生が探るコンゲームものの「幽霊 ゴースト」。上海憲兵隊の中にいる内通者を調べる犯人当ての「魔都」。D機関員の飛崎がドイツの二重スパイの行動確認を命じられるアリバイ崩しの「XX ダブル・クロス」など、収録作は本格ミステリとしてもクオリティが高い。

D機関の生徒たちに、死ぬことと殺すことを禁止し、タブーだった天皇制の是非についての議論をさせるなど、徹底して論理的な

『ジョーカー・ゲーム』
柳 広司著／角川文庫
定価：607円

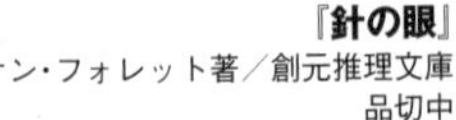
『針の眼』
ケン・フォレット著／創元推理文庫
品切中

思考を叩き込む結城は、常識や日本的なメンタリティが諜報戦には障害になる現実を突き付けてもいるのである。

高村薫(たかむらかおる)『**リヴィエラを撃て**』は、謎の東洋人スパイ、リヴィエラをめぐり世界各国の諜報機関が繰り広げた暗闘を壮大(そうだい)なスケールで描いている。

一九九二年、日本でIRAのテロリスト、ジャック・モーガンが死んだ。ジャックは、アイルランド独立運動の闘士だった父の不審死を切っ掛けにIRAに加わった。ジャックは「伝書鳩(でんしょばと)」の暗号名を持つCIAのエージェントと、父の仇(かたき)らしいリヴィエラを追うが、二重スパイ、三重スパイが暗躍し、同じ国の複数の諜報機関が異なる思惑(おもわく)で動くこともあり、なかなか真相にたどりつけない。数多い登場人物の背景が詳細に書き込まれていて、なぜテロリストが生まれるのか、スパイは何を考えて動いているのかなど、その心理描写には圧倒的なリアリティがある。命を落とした者もいるなど、多くのスパイの運命を変えたリヴィエラだったが、その正体は拍子抜け(ひょうしぬけ)するほど凡庸(ぼんよう)だった。リヴィエラの空虚さは、独自の外交政策をもたない日本を象徴しているように思えた。

『リヴィエラを撃て』(上・下)
高村 薫著／新潮文庫
定価：上880円/下737円

『D機関情報』〈新装版〉
西村京太郎著／講談社文庫
電子版あり

船戸与一『**砂のクロニクル**』は、少数民族の問題を取り上げている。

一九八〇年代末。イランでは、革命で功績のあったイスラム革命防衛隊(パスダラン)の腐敗が進んでいた。同じ頃、中東の広い地域に住んでいるが国を持たないクルド人は、各国で圧政の犠牲になっていた。イランで暮らすクルド人は、聖地マハバードの奪還と独立国家の樹立を目指し、ハジと呼ばれる日本人武器商人にカラシニコフ自動小銃二万挺の調達と輸送を依頼する。組織の腐敗を憂う革命防衛隊のサミルは、クルド人鎮圧のためマハバードへ送られる。

作中では、イスラム革命が正義のサミル、独立国家の樹立が正義のクルド人、武器を売り金を儲けるのが正義のハジなど、様々な価値観が描かれる。この展開は、現実社会に勧善懲悪はなく、正義と正義がぶつかるからこそ争いが起こるという、紛争の普遍的な発生メカニズムに切り込んだといえる。

ロシアのウクライナ侵攻後、北欧のスウェーデンとフィンランドがNATOへの加盟を申請した(後に承認)。そのためには全加盟国の承認が必要だが、北欧二国はクルド人の組織を保護して

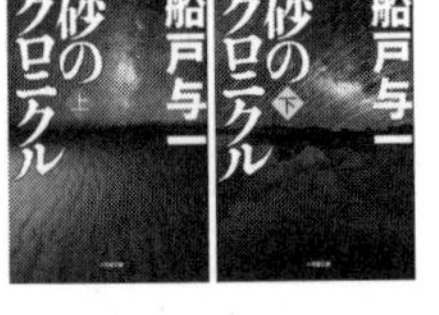

『**砂のクロニクル**』(上・下)
船戸与一著/小学館文庫
定価:上924円/下858円

いるとしてトルコが慎重な姿勢を示した。近年のクルド人をめぐる状勢からも、この作品の先駆性が見て取れるのである。

月村了衛『東京輪舞』は、戦後史を騒がせた大事件の裏に、KGBの女スパイ、クラーラと警視庁公安部の砂田の暗闘があったとして歴史を読み替えている。ロッキード事件で田中角栄が逮捕されたのは、角栄がアメリカの逆鱗に触れたから。既にソ連は潜水艦を静音化する技術を入手していたのに、東芝が共産圏に軍事技術の提供を禁じるCOCOM違反で摘発されたのはなぜかなど、史実と矛盾なく迫真の諜報戦が織り込まれているので、実際に作中で描かれているのが事実ではないか、と思えるほどである。なぜソ連崩壊後にプーチンが台頭したのか、警視庁公安部が対共産圏、対過激派の対策を重視していたことが、オウム真理教のような新たな組織犯罪への対応を遅らせたなど、この作品の諜報戦の描写は今の社会情勢を理解するのにも役立つ。

初の女性総理・新崎百合子とアメリカの国務長官が会談する首相官邸がテロ集団に占拠され、総理付きの初の女性SPになった夏目明日香が、重傷を負った上司の指示のもと戦いを挑む高嶋哲

『東京輪舞』
月村了衛著／小学館文庫
定価：1,100円

夫『**官邸襲撃**』は、ハリウッド映画を思わせる派手なアクションが連続する。総理の不在もあって指揮系統は乱れ、アメリカが露骨に介入するなど現場が混乱するところは、実際に日本でテロが発生したら起こりそうなだけに生々しかった。島国の日本は武器の持ち込みが難しいが、テロ集団は思わぬセキュリティホールを利用する。この展開は、日本の安全保障体制への警鐘になっていた。東京の中心部で起こる連続大規模テロに、再び新崎総理と明日香が立ち向かう続編『**首都襲撃**』が刊行されるので、併せて読んで欲しい。

真山仁『**プリンス**』は、軍事政権下にある東南アジアの架空の国メコンで、有力政治家の息子ピーターと、日本で憲法改正反対のデモを行った大学生の犬養渉が、軍や秘密警察が反体制派を抹殺している状況で民主化運動を進める姿を描いている。二人の若者の政治活動は、民主主義とは何か、民主主義は人を幸せにするのかを問い掛けているが、テーマはそれだけではない。メコンの豊富な地下資源を狙うアメリカ、イギリスなどは、表向きは民主主義を世界に広めようとしているが、裏では自国の利益のため

『**首都襲撃**』
高嶋哲夫著／PHP研究所
定価：2,530円

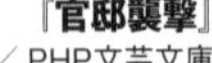
『**官邸襲撃**』

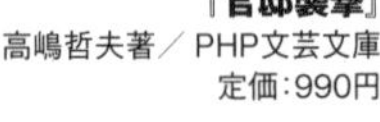
高嶋哲夫著／PHP文芸文庫
定価：990円

なら小国の政治に介入し、その国の民主主義を破壊するのも厭わない。日本も、他国の民主主義を侵害していないか、あるいは他国からの介入を受けていないかを常に点検する必要があるのではないだろうか。

サイバー空間、日常生活に潜む危険

今や諜報戦も、実際の戦争も主戦場はサイバー空間になりつつある。福田和代『**サイバー・コマンドー**』は、その現実を的確に捉えている。

防衛省にネットワークを介したテロに対処するサイバー防衛隊が設立され、天才ハッカーの明神海斗とアメリカのセキュリティ企業出身の出原しのぶが参加した。全国で通信障害、工場の原因不明の稼働率低下が相次ぎ、調査のため浜松の工場へ向かった海斗の前で新幹線が暴走する。この作品はサイバーテロがメインだが、フェイク情報を使った世論の誘導というソフトな攻撃も可能だとも示唆しているだけに、サイバー攻撃への対策が急務なこ

『サイバー・コマンドー』
福田和代著／祥伝社文庫
電子版あり

『プリンス』
真山 仁著／ PHP研究所
定価：1,870円

とが実感できる。

全著連（モデルは日本音楽著作権協会）で働く橘樹（たちばないつき）が、ミカサ音楽教室（モデルはヤマハ音楽教室）に潜入して著作権料が発生する楽曲が演奏されている証拠を集めるよう命じられる安壇美緒（あだんみお）**『ラブカは静かに弓を持つ』**は、日常の中のスパイを描いている。音楽教室に通い始めた樹は、海外の名門音楽大学出身で、演奏技術も教え方も一流の講師・浅葉（あさば）や、他の生徒たちと交流するうち、少年時代にチェロをやめた心の傷を乗り越え、楽器を演奏する楽しさと情熱を取り戻すが、スパイだけに仲間を裏切っている罪悪感を高めてしまう。自国の情報を敵スパイに渡す協力者（エージェント）であれば、樹と同じような葛藤（かっとう）を抱えるケースはあり得るので、この作品は国際的な諜報戦を題材にしたハードなスパイ小説好きでも満足できるはずだ。

サスペンスいっぱいの物語が楽しめるスパイ小説、国際謀略小説は、複雑な国際政治の現状やそこに至る歴史が自然に理解でき、世界をまたにかけた物語でもあって旅行気分も味わえるお得なジャンルなので、ぜひとも読んで欲しい。

『ラブカは静かに弓を持つ』
安壇美緒著／集英社
定価：1,760円

※定価は税10％です。

おいち不思議がたり

誕生篇 第二回

あさのあつこ
Asano Atsuko

風鈴の音(承前)

その夜、新吉は帰ってこなかった。

一端止んでいた雷鳴が、夜半過ぎて再び鳴り響く。遠雷ではなく、かなり近い。

蒸し暑さが増したと思ったら、夕刻とは比べ物にならない激しい雨が、菖蒲長屋の屋根を叩き始めた。風も強くなり、雨戸ががたがたと音を立てる。

おいちはなかなか寝付けなかった。

怖くて眠れなかったのだ。風や雷ではない。そんなものは、平気だ。雷は傍らに落ちでもしない限り、風は屋根を吹き飛ばすほどの強風でなければ気にはならない。

新吉が帰ってこない。

そのことが怖くてたまらなかった。刻が過ぎていくたびに、身体が芯から凍えていく。夏を迎える時季だというのに、寒くてたまらないのだ。

町木戸も閉まり、夜が更けていっても、新吉の足音はしなかった。

「新吉さん、どうして……」

どうして帰ってこないの。どうして何も知らせてくれないの。

新吉が仕事の都合で帰れないことは、そう珍しくない。納期が迫っていたり、突然に急ぎの仕事が入ってきたり、他の職人の受け持ち分を引き受けざるを得なくなったり、理由はさまざまだ。新吉の腕はかなりの評判をとっているので、名指しの注文も多い。もともと年季奉公を終え、独り立ちしていた新吉が『菱源』に戻ったのは、親方が体調を崩し長く寝込んだからだ。親方が回復した今も、通いの職人として働き続けている。

「親のいない、頼る者もないおれを一人前に育ててくれたんだ。返し切れねえ恩がある」との新吉の言葉に、おいちは深く頷いた。亭主の律儀で誠実な気性も『菱源』の親方の為人も心底から好ましかった。親方と弟子というより父子のような二人の関わり方も好きだ。新吉は親の縁には薄かったけれど、奉公先には恵まれたのだ。人はこうやって、人生の収支を合わせていくものかもしれない。

『菱源』の親方は、注文仕事の手間賃全てを新吉に渡してくれた。相手の言い値で引き受けないように、腕に見合った額を掛け合ってもくれた。大店からの注文品ともなると材料費を差し引いても相当な金子になる。

子どもが生まれるとわかってから、新吉は名指し注文を頻繁に受けるようになった。

「おれは父親になるんだからな。しっかり働いて、しっかり稼いで、子どもにひもじい思いだけはさせねえようにしてえんだ」

一月も前のこと、新吉は真顔でそう答えた。朝餉を食べ終えた後、おいちは思い切って、このところ働き過ぎではないかと問うてみた。その答えだ。

「今だって、しっかり稼いでくれてるでしょ。親子三人、食べていくには十分じゃない。無理をして身体を悪くしたら元も子もないのよ」

説教するつもりなどさらさらなかった。でも、亭主の張り切り方には、少しばかり懸念を覚えてしまう。新吉が自分への注文を熟すのは、『菱源』の仕事に一区切りついた後だ。他の職人たちが道具を片づけ収めたころから、始めることになる。

いきおい、仕事仕舞いは遅くなり、深夜に及ぶこともあった。そんな日が続けば、心配にもなる。

「ね、新吉さん。赤ん坊が生まれたら、二人で育てていくんでしょ」

「当たり前じゃねえか。おれは、さすがに乳を飲ませるのはできねえけど、その他ならたいていのことはやるつもりだし、できるはずだぜ」

「だったら先は長いのよ。一年や二年じゃないの」

「そりゃそうさ。一年や二年で終わるわきゃあねえさ。男の子か女の子かわからねえけど、その子が這い這いして、立って、歩き出して、大人になって……ずい分と長え道のりだ」

「そうだよね、長いよね。あたしたち、これから長い年月を一緒に生きていくんだ

前回までのあらすじ

おいちは、江戸深川の菖蒲長屋で医師である父・松庵の仕事を手伝いながら、医師になるため石渡塾に通っている。そして飾り職人の新吉と結婚。子供を宿す。伯母のおうたは、次の戌の日に帯祝いをすると張り切っている。そんななか、新吉に頼んでいたメスの試作品ができあがる。その出来栄えに、松庵と兄の十斗は息を呑む。ある日、夜になっても新吉が帰らないことに気づいたおいちは、不吉な予感に苛まれる。

よ。だから、無理をしないでほしいの。今の無理が先に祟るってこともあるんだからね」

新吉は顎を引き、瞬きを繰り返した。それから、にっと笑う。屈託のない笑顔だ。

「無理なんかしてねえさ。おいち、おれ、今は仕事が楽しくてたまらねえんだ。あ、いや、前から飾り職の仕事は好きで、『菱源』て店も好きで親方も好きで、やりがいもあった。けど、今までは何というか、どっかふわふわしてたんだよな」

「ふわふわ？　新吉さんが？」

おいちは首を傾げる。初めて出逢ったとき、新吉のことは活きはいいぶん血の気の多い若者としか思えなかった。なにしろ、喧嘩騒ぎを起こし、大怪我を負い松庵の許に運び込まれてきたのだ。活きが良くて、血の気が多くて、喧嘩っ早くて、騒がしい。けれど潔くもある。そういう患者だと感じただけだった。傷口を縫い合わせる松庵の手並みに見惚れ、自分もこんな風な技を身につけたいと焦がれるように望んだことは、よく覚えている。その望みは今でも変わらず、いや、ずっと強く、大きくなって胸の内にある。そして、新吉への見方もずい分と違ってきた。

活きはいい。やや早とちりの嫌いはあるかもしれない。でも、そんなに喧嘩っ早くはなかったし、いい加減な生き方もしていない。むしろ、しっかりと地に足をつけて暮らしている。どう考えても〝ふわふわ〟とは無縁ではないか。

「新吉さん、ふわふわしてなんかいないでしょ。とっても一生懸命に生きてるって、あたし、傍にいてずっと感じてるもの。そういうところもごにょごにょで……」

「うん？　ごにょごにょ？　おいち、何て言ったんだ？」

「だから、新吉さんの一生懸命なところも好きとか……やだ、言っちゃった。恥ずかしい」

「え？　え？　悪ぃ。よく聞こえなかった。もう一度、言ってくれねえか」

「もう、馬鹿。ちゃんと聞こえてるんでしょ」

「聞こえてないって。もう一度、ちゃんと言ってもらいてえなあ」

「仕方ないわねえ。いい、これっきりですからね。もう二度と言わないからね」

睨む振りをして、新吉を見詰める。

「新吉さん、あのね、あたし」

そこで、おいちは口をつぐみ、振り向いた。

菖蒲長屋の一間だ。所帯を持つまで松庵と住んでいた部屋とほとんど変わらない。同じ長屋なのだから当たり前と言えば当たり前だ。ただ、ここには薬草の匂いが染みついていない。血も臭わないし、泣き声や呻き声も響かない。いたって静かだ。

「どうした？」

「いえ、あの……伯母さんが」

「お内儀さん。えっ、お、お内儀さんが来てんのか」

新吉の声が引きつる。

「来てないけど、ほら、あたしたちがちょっと、その……仲睦まじくしてたら大抵、伯母さんが現れるじゃない」

「そ、そうだな。まさかとは思うが用心に越したこたぁねえな」

新吉は腰高障子を少し開けて、外の様子を窺った。

「今のところ、大丈夫みてえだ。誰もいねえよ」

「そう。でも、伯母さんって地から湧いたか、天から降ったか、みたいに突然に姿を現すのよね。油断できないわ」

「おいち、それじゃお内儀さんが鬼か魔物かって風に聞こえるぜ。言い過ぎだって」

「あ、そうか。伯母さん、多少人間離れしたところもあるけど、間違いなく人だものね」

「だから、それが言い過ぎだって」

新吉が困ったように眉を寄せる。その顔も自分の口にした台詞もおかしくて、おいちは噴き出してしまった。新吉も笑っている。二人の笑い声が重なって、路地へと流れだしていった。ひとしきり笑った後、新吉は真顔になり、おいちに告げた。

「こんな風に誰かと笑い合うことなんて、おいちと一緒になる前はほとんどなかった。仕事も好きで一生続けていくつもりはあったけれど、欲はなかったんだよな」

「欲って？」

「うーん、上手く言えねえけど、腕を磨いて、どんどん上手くなって、それで自分も他の者も納得できるような品をどんどん作り出して、それで、女房、子どもを養えて、えっと、それで、子どもが少し大きくなったら、『これは、おとっつぁんが作ったんだぞ』って胸を張れる品を作りたくて……そういうの、考えるようになったら毎日の仕事にどんどん励める気がして、えっと、だから……ともかく、ふわふわしてねえんだ。おいちのおかげで、一日一日、しっかり足を踏ん張ってるって感じがしてんだよ」

「新吉さん」

「無理はしねえ。でも、精一杯、がんばる。そこのところの塩梅は自分でわかってるつもりだ。だから、心配しなくていいからよ」

「……わかった。あのね、新吉さん」

「うん？」

「ありがとう。あたし、今、すごく嬉しい。新吉さんみたいな人と一緒になれて幸せだなあって、しみじみ嬉しいの」

「おいち」

新吉の手がそっと、おいちの肩に触れた。頰が少し赤い。おいちも頰の火照りを覚える。新吉の指に力がこもる。おいちが半歩、前に出た……とき、

「おいち、いるかい。お邪魔するよ」

おうたの大声が響き、障子戸が横に滑った。

「あ、やっぱり」

おいちと新吉の声が重なる。

やっぱりこうなるよね。伯母さんだもの。

やっぱりこうなるな。お内儀さんだからな。

目だけでやりとりする。おうたがきれいに化粧した顔を心持ち顰めた。

「何がやっぱりなんだよ。せっかく、美味しい鮎を持ってきてやったのに、二人雁首並べて、何をにやついてんのさ。気味が悪いね。ほら、すぐに食べられるように下拵えは済ましてるからさ。至れり尽くせりだろ。あ、四尾あるけど松庵さんには食べさせなくていいからね。おまえたちが二尾ずつ、お食べ」

「へえ、いただきやす。いつも、ありがたいこって」

おうたが紙包みを差し出す。それを、新吉が両手で受け取った。妙に恭しい仕草だ。何だか、おかしい。おいちは笑い出してしまった。

無理はしない。精一杯がんばる。

その言葉通り、新吉はよく働き、よく稼いだ。木戸の閉まる寸前に帰ってきたこともたびたびある。今夜もそうなのだろう。仕事に熱中するあまり、刻（とき）を忘れているのかもしれない。もう木戸が閉まってしまったと腹を括（くく）って、夜なべをする気なのかもしれない。

そうよ、心配することなんかない。

おいちが奥歯を嚙（か）み締（し）めた直（す）ぐ後、ひときわ大きな雷鳴がとどろいた。身が縮（ちぢ）む。胸に手を置き、落ち着けと自分に言い聞かす。

「あたしはどうして、こんなに不安なんだろう。いつもはこんなことないのに」

声に出して呟（つぶや）いてみて、気が付いた。

今日に限って報（しら）せがない、と。仕事が長引くとわかっているときは、出掛けにそう告げるし、急な仕事が入って帰れないときは、必ず誰かに言伝（ことづて）を頼む。新吉の律儀でまめな性質（たち）は、そういうところにもうかがえた。

でも、今日は使いの者が来ていない。新吉は報せのないまま、帰ってこないのだ。そんなことはいままで一度もなかった。ただ、この不安はそれだけではない。

胸を強く押さえる。

　それだけではないのだ。

　嫌な、とても嫌な何かを感じる。炙られるような焦り、足元が崩れていくような怯え、耳の底に響く騒めき、そんなものが綯い交ぜになって心が煽られる。

　あの光のせいだ。患者が一段落した宵のころ、閉じた瞼の裏に走った光。銀色の一閃だった。あれは何だろう？　そこが摑めなくて、怖い。

　あの光と新吉さんが繫がってる？　もしそうなら、どう繫がるわけ？

　わからない。幾ら考えてもわからない。

　ため息が出る。考えて答えが出るものではないと、おいち自身が一番よく解していた。おいちには昔から、そういうところがあった。既に亡くなった者の訴えが聞こえたり、姿が見えたりする。いつでも誰でもというわけではない。訴えねばならない何かをこちらの世界に遺してきた人の懸命な声を微かに聞き、姿を束の間、見る程度だ。そして、生きている者がこの先巻き込まれるかもしれない剣呑な気配も、感じ取ることができる。とはいえ、その剣呑がどんなものなのか、見当が付かない。後ろ姿が黒い靄に包まれて見えたり、黒い穴に吸い込まれていくようであったり、紗のような薄い幕が被さっている風であったりとさまざま、まちまちな見え方をするだけで、その靄や穴や幕が何を示すのかは、見通せないのだ。

　瞼裏の一閃も、新吉に関わるものだと言い切れない。しかし、自分に繫がる誰か、何かに関わっているのは、ほぼ間違いない。これまでも、ずっとそうだった。

おいちは立ち上がった。

『菱源』に行ってみよう。行って、新吉さんの無事な姿を一目見れば、安心できる。この得体の知れない不安を拭い去ることができる。

再びの雷鳴。さっきより、さらに大きい。屋根を叩く雨音、路地を抜ける風音も強さを増す。獰猛な獣の咆哮を思わせる。とてつもない怪物が暴れ回っているようでもある。

駄目だわ。

おいちは座り込み、お腹に手を置いた。

こんな夜、外に出るわけにはいかない。転んだりしたら、大変なことになるもの。帯の上から、そっと撫でてみる。そうすると、不思議に気持ちが落ち着いてきた。

そうだ、こんな雨風だもの。新吉さんも帰るに帰れないいんだ。きっと、そうだ。帰ろうとして親方に止められたのかもしれない。誰だって止めるよね。

お腹の中の赤子に話し掛ける。波立っていた心が徐々に徐々に静まっていく。

大丈夫、大丈夫。そんな声が聞こえた。それが自分のものなのか、この小さな命のものなのか、はっきりしない。でも、心地よい声だった。

おいちは夜具にもたれたまま、眠りに落ちていった。

ぐっすりと寝入っていたようだ。目が覚めると、既に明るい。慌てて起き上がり、雨戸を片づけた。空を見上げる。やや雲が多いものの、濃い青色の空が広がっている。早朝のせいか、昨夜の雨のせいか、涼やかだ。路地の泥濘もこの日差しなら、すぐに乾くだろう。

新吉さん、いつ帰ってくるかな。

青く眩しい空を見上げたとき、後ろから声を掛けられた。

「おや、おはよう。おいち先生」

「あ、おはよう。お蔦さん。いいお天気ね」

菖蒲長屋の住人の一人、お蔦だ。五人の子持ちで、一日中、子どもを怒鳴るか、笑うか、誰かとしゃべるかしている。逞しくて、賑やかで、いざというときに頼りになる相手だった。

「ほんとだよ。昨日の荒れっぷりは何だったのさって、天に尋ねたいぐらいだよ。洗濯物はよく乾くだろうけど、暑くなるかもしれないねえ。おいち先生、身体の調子はどうだい」

「うん。変わりはないの」

「そうかい、そりゃあ何よりだよ。でも、これからどんどんお腹が大きくなるからね。暑さが堪えるよ。まあ、うちの長屋は風通しがいいからね。まだ、助かるけどね」

「ほんとにね。ここは住み易いわ。他に移ろうなんて考えられないぐらい」

「ははは、おいち先生は菖蒲長屋育ちだからねえ。あ、いけない。豆腐屋さんが来たよ。ちょっと、ちょっと、うちにも一丁おくれ。油揚げもね」

豆腐屋、蜆、味噌、唐茄子、菜物、魚に卵。

朝、路地には物売りたちが次々とやって来る。一文商いの棒手振りは、長屋暮らしには欠かせない。おかみさん連中は、入り用なものを入り用な分だけ贖い、その都度使い切る。路地の隅には七輪が並び、干し魚だの芋だのが焼かれ、鍋が湯気を上げ、ご飯の炊ける香ばしい匂いが漂い始めた。朝の香りだ。

豆腐の味噌汁にお漬物、鯵の開きを炙って、佃煮でも添えよう。

おいちも頭の中で素早く、朝の膳を組み立てる。もっとも、味噌汁の中身と炙る魚が変わるぐらいで、毎朝、ほぼ同じではあるのだが。

新吉さんと父さんとあたし。三人分、きっちり作ろう。

そう決めて一人、頷いたとき、ちょっとしたどよめきが起こった。

「まあ、それ、本当？」

「いやだねえ。物騒な話じゃないか」

「怖いねえ、もしかして、殺しなのかねえ。仙五郎親分はいなかったのかい」

おかみさんたちの声が耳に飛び込んでくる。おいちは我知らず、息を詰めていた。

「あら、おいち先生。ちょっと、ちょっと」

おかみさんの一人、おしんが振り向き、おいでおいでと片手を振る。もう一方の手には、水の張った小桶が抱えられていた。豆腐を入れてもらうためだ。

おいちは息を吐き出し、近づいて行った。胸が苦しい。心の臓がどくどくと音を立てている。

「いまね、豆腐屋さんに話を聞いてたんだけどね」

おかみさんたちに囲まれた小柄な老人をおしんが指差す。ほぼ毎朝、菖蒲長屋にやってくる豆腐売りだ。前歯が二本抜けて、笑うと妙に愛嬌がある。豆腐や油揚げ、おからの味も上々で、おかみさんたちの評判はすこぶるよかった。

「何でもさ、六間堀の近くで男が殺されてたんだってさ」

「え……殺されて……」

喉の奥に言葉が閊える。息さえ、上手く通らない。

「あ、いや。殺されてたかどうかまでは、わかってねえよ」

老人が慌てて、手を横に振った。

「わしが通ったときは、もうちょっとした人だかりができていて、で、『何事です』って尋ねたら、野次馬の一人が『若い男が殺されていたらしい』って教えてくれた。それだけのことだからね。ほら、堀沿いに柳が植わってるだろう。その内の一本にもたれるみてえにして、死んでたとよ。血がいっぺえ出て着物が赤く染まってるとかも言ってたな。わしも覗いてみたかったが、豆腐を落としちゃどうにもならんし、早く売りに行かにゃみんなの朝飯に間に合わなくなるんで、気になりつつ、こっちに回ったってわけさ」

「若い男って……幾つぐらいの……」

口の中がみるみる乾いていく。乾き過ぎて、舌が上手く動かせない。

「そりゃあ、わかんねえな。直にみたわけじゃないんで」

老人が首を傾げる。

「けど、お武家とかじゃねえみてえだったな。誰かが、『どっかの職人か』とか言ってたから。職人の形をしてたんじゃないのかねえ」

老人の一言が耳に突き刺さる。目を開けているのに、銀色の一閃が見えた。頭の内を過ったのだ。寸の間だが、現の陽光よりくっきりと光は煌いた。

眩暈を起こしそうになった。いや、軽い眩暈に襲われたらしい。目の前が薄暗くなって、足元がふらつく。

背中を支えられ、何とか転ばずにすんだ。

薬草の青い香りがする。馴染んで、身に沁みついた香りだ。頭が少し、しゃんとした。

「おいち」

「おい、どうしたんだ。顔が真っ青じゃないか」

首に手拭いを掛けた松庵がおいちを覗き込んでくる。

「気分が悪いのか？　横になったほうがいいぞ。ともかく家に入れ。夜具を敷いてやるから」

「……父さん。新吉さんが……」

「新吉？　新吉がどうかしたのか？」

「昨夜、帰ってこなかったの」

そう口にしただけで、胸が張り裂けそうだった。痛い。苦しい。辛い。

「あたし、確かめてくる」

「確かめるって、何をだ」

「六間堀で若い男が亡くなっていたとかで……、まさか、まさかと思うけど……」

それ以上はどうしてもロにできない。おいちは、震える足を踏み締めた。

「おいち、待て。落ち着け」

松庵が腕を摑んでくる。

「放して。あたし、行ってくる。大丈夫よ。ちょっと様子を見てくるだけ。新吉さんのはずがないもの。それを確かめてくるだけ」

「そりゃそうだ。新吉のはずがない」

「そうよ、わかってる。でも、でも、確かめたいの。新吉さんが無事だって確かめたいの」

だから、手を放してよ。そう叫びそうになる。

「だったら、六間堀まで行かなくても無事だとわかるぞ。ほら」

松庵が木戸に向かって顎をしゃくった。

新吉が木戸を潜り、歩いてくる。おいちを見つけ、笑顔で右手を上げた。

「すっかり遅くなっちまって、あ、いや、朝早くなっちまってと言う方が当たってるのかな」

「……新吉さん」

「うん、今日、明日は休んでいいって親方に言われた。このところ、ずっと忙しかったからな。久しぶりに休みをもらえたってわけさ」

「じゃあ、昨夜も仕事だったのね」

「え？　あ、そうだけど？　雨が凄かったから足止めされたってのもあったけどな。いやあ、すごかったな。ありゃあちょっとした嵐だぜ。けど、屋根も飛んでねえし、よかったな」

「そう、そうなの。でも……いい加減にして、新吉めがけて中身をぶちまけた。

おいちはおしんから桶をひったくると、新吉が頭から水を被る。

「うわっ」。不意を食らって新吉が頭から水を被る。

「馬鹿、ばか、新吉さんの馬鹿。どれだけ心配したと思ってるの。ほんとに、ほんとに……もう知らない。新吉さんなんて大嫌い」

「え、え？　ちょっと待てよ。おいち」

身をひるがえし、家の中に駆け込む。中から心張り棒をかうと、重ねた夜具に顔を埋めた。涙が溢れてくる。安堵の涙だった。

よかった、新吉さん、無事でよかった。

ほんとうは、亭主の胸に飛び込んでいきたい。思いっきり抱きしめたい。

「おいち、おいち、開けてくれよ」

新吉が障子戸を叩いている。開けてくれと懇願している。

だれが開けてやるもんですか。さんざん心配させといて、何がお休みよ。何が朝早くなっちまってよ。何が屋根が飛んでなくてよかったよ。飛んでたら、どうするつもりだったの。家中水浸しじゃないのよ。いいえ、そんなことより、あたし、本気で怒ってるんですからね。


「おいち、おいち」

竈の上の格子窓から、松庵が声を掛けてきた。

「新吉が困ってるじゃないか。戸を開けてやれ」

「知りません。父さん、あたし、腹を立ててるの。何の報せも寄越さないで、朝帰りだなんて、ほんとに、ほんとに、もう……」

「報せたと言ってるぞ」

「え？」

松庵と目を合わせる。格子越しだからか、牢屋の内から許しを乞うている罪人みたいに、見えなくもない。おうたならここで、すかさず「松庵さんほど牢とか檻とかが似合うお人はいないねえ。できるなら、一生、入っててもらいたいよ」ぐらいの冗談は投げてくるだろう。

「一晩帰れないと言付けを頼んでいたと、新吉は言ってるんだがな」

「え……そうなの」

「ああ、六間堀町に用のある職人仲間だそうだ。菖蒲長屋に寄ってくれと頼んだら気軽に引き受けてくれたらしい。新吉としては、それで、すっかり安心していたそうだ」

「……でも、そんな人、誰も来なかったわ」

「そうだなあ。て、ことは、その職人が新吉の頼みごとを忘れたか反故にしたかってことになる。あ、それとも新吉が出まかせを口にしてるか、だな。さてさて、女房としてはどうするんだ？　亭主の言葉を疑うのか信じるのか」

おいちは立ち上がり、心張り棒を外した。戸を開ける。

ずぶ濡れの新吉が立っていた。

「新吉さん、ごめんなさい」

深く低頭する。新吉が「ほぇ？」と、間の抜けた声を出した。

「ちゃんと確かめもしないで、腹を立てたりしてごめんなさい。水を掛けたり、締め出したりして、ごめんなさい。あたし、つい、かっとなっちゃって……」

「いや、いいって。おかみさんたちから聞いた。六間堀で物騒な事件があったんだろう。おれの言伝が届いてなかったら、そりゃあ心配するよな。というか、心配してくれたんだって、ちょっと嬉しかったぜ」

「心配するに決まってるわ。心配し過ぎて、怖くて、とっても不安だったの」

「え、すまねえ。おいちにそんな思いをさせてたなんて。謝るのは、おれの方だ。おいち、すまなかったな」

「ううん、悪いのは、あたしなの。新吉さんの姿を見たら、ほっとしちゃって、それで気持ちが抑えられなくて。ほんとは、『よかった』って飛びつきたかったのに」

「今からでもいいぞ。来るか」

新吉が両手を広げる。

「おまえら、いい加減にしとけよ」

松庵が、ため息を吐いた。その後ろに、おかみさん連中が並んでいた。みんな、笑みを浮かべている。松庵はもう一度、さっきより長く息を吐き出した。

「まったくな。朝っぱらから、よくもそこまでいちゃつけるもんだ。ここに義姉さんでもいてみろ。半日は説教されるぞ」

「あら、松庵先生、いいじゃないですか。微笑ましくて、気持ちが明るくなりますよ」

お蔦がからからと笑った。

「あたしたちなんか夫婦でお互いを心配するの、ありがたがるのって、そんな殊勝な気持ちとっくに忘れちまってるからね。見ていて、わくわくしちゃったよ。ね、おしんさん」

「ええ、そうですとも。いいよねえ、お互いを想い合って、素直に謝って。あたしも若いときはそうだったんだけどねえ」

「本当かい？　そんなに可愛いときがあったって、ちょっと信じられないけど」

「わっ、お蔦さんにだけは言われたくない台詞だよ」

どっと笑いが起こる。おいちは、おしんが空の桶を提げていることに気が付いた。

「あ、いけない。おしんさん、あたし、豆腐の桶を……」

「いいよ、いいよ。まだ、豆腐を入れてなかったからね。新吉さんも豆腐がぶつかってこなくてよかったじゃないか。豆腐の角に頭をぶつけたら大怪我だよ」

また、笑いが起こる。あけすけで陽気な笑いが路地に響いた。その声が消え去らないうちに、松庵が両手を打ち鳴らす。

「よし、今朝はおれがおごろう。爺さん、豆腐を全部いただくぜ。みんなに配ってくれ」

「へい、まいど」

明るい光の中で、おかみさんたちの笑顔と白い豆腐が輝く。ささやかな、でも、確かな幸せの一場面だ。邪悪も不穏もない。

じゃあどうして、あんなに胸騒ぎがしたんだろう。どうして抑えきれないほど、気持ちが揺さぶられたんだろう、あの銀色の煌きは……なに?

「けど、正助のやつ、どうして言付けてくれなかったんだ」

新吉が呟いた。見上げた横顔が曇っている。

「言付けを頼んだ人って正助さんと言うの」

「ああ。流れの職人なんだが腕も気性もよくて、頼みごとを勝手に反故にするようなやつじゃないんだ。六間堀町に用があるから、必ず寄って伝えとくと言ってくれたんだが」

「ここに寄れないような事情ができたってことね」

口にしてから、おいちは息を詰めた。

え、まさか……。

「新吉さん。その人、若いの？　それともお年寄り？」

「若いぜ。おれと同じぐれえじゃねえかな。年を尋ねたことはないけどな」

若い男。伝えられなかった言付け。六間堀の死体。

ふっと日が翳った。お天道さまが雲に隠れた。それだけのことなのに、一瞬、鼓動が速まった。息を整えようと顔を上げたおいちの目に、男が一人、飛び込んできた。日が翳るのを待っていたかのような現れ方だ。

木戸の近くに佇んでいる。

「親分さん」

岡っ引の仙五朗はおいちの視線を捕え、ゆっくりと頭を下げた。


〈つづく〉

世界はきみが思うより

第二回　オムレツあるいは（後編）

寺地はるな
Terachi Haruna

　一緒に暮らしていた頃、父はときどきお菓子を持ち帰ってきた。絵本に出てくるようなカラフルなクリームやチョコレートで装飾されたカップケーキや、おもしろいかたちのクッキー。会社の子がくれたんやで、ぜんぶ手作りなんや、すごいやろ。自分がつくったわけでもないのに、父は得意げだった。お母さんはこういうのぜんぜんだめやもんな、とぼくに耳打ちしてきたりもした。

　去年、それらをつくっていた人物の正体を知った。父の現在の妻だ。つまりは当時の交際相手ということになる。例によって例のごとく、父が選んだ店で食事していた時に、その話を聞かされたのだ。ちょうどデザートの皿が運ばれてきたタイミングだった。

「家庭的な人だから。冬真がまだ小さいのにできあいの惣菜とか駄菓子ばっかり食べさせられてるって知って、心が痛んだんだってさ」

　驚くべきことに、父はその行為がぼくにたいする重大な裏切りであるということを認識していなかった。

「食べたものがその人をつくる、が口癖なんだ、彼女。自分のつくったものが冬真くんの一部になったらうれしい、って。今もずっと心配してくれてるんだよ、冬真のこと」

　そうなんや、と頷き、トイレに行くからと断って席を立ったのち、今しがた食べた料理をすべて吐いた。以来、他人の手料理をいっさい受けつけなくなった。もちろん、それだけが原因ではない。遊びに行った友人宅の台所がものすごく汚くて驚いたことも関係している。中学を卒業する時に隣のおばあさんがくれた赤飯に飼い猫の毛らしきものが何本かのっかっていたことも原因の一部だと思う。あるいは理由なく他人の手料理への嫌悪感が突如としてぼくの中に生まれ、あとからもっともらしい理由をくっつけているにすぎないのかもしれない。ぼくは弓歌さんが言う通り、自分だけが清潔で繊細なんだと思いたがっているだけなのかもしれない。

「冬真は、世界が信頼できひんようになったんやな」

昨日道枝家でおきたことは、さすがに母には話していない。ただぼくになにかあったことはなんとなく察しているのだろう。今朝の母はいつもよりすこしやさしい、ような気がする。お菓子の真相については永遠に秘密にするつもりだが、そちらについてもうすうす見当はついているのかもしれない。ぼくが知る、ずっと前から。

「悪いことかな」

「良いとか悪いとかではないけど、ちょっとしんどいのと違う？　人間は、他人が理由なく自分に危害を加えることはない、という世界への信頼があるから武装もせずに外を歩けるわけやろ」

母は喋りながら、素早く玉ねぎを薄切りにし、ガラスのボウルに入れる。乱切りしたじゃがいもとベーコンも一緒に、バターとコンソメで味付けして電子レンジで加熱する。この料理には、名前がない。そのまま食べても良いし、オムレツの具にしてもいいし、あるいはホワイトソースとチーズがあればグラタンにもなる。なんにでもなりうる名前のないなにか、と我が家では呼ばれている。

今のところ、母の料理なら問題なく食べられる。缶詰やレトルト、インスタント食品も大丈夫だし、スーパーマーケットやコンビニの惣菜なども問題ない。「それも他人がつくっているんだぞ」と言われたらたしかにその通りだし、反論のしようがない。自分でもなにがダメなのか、基準がよくわからないからだ。たとえば、外食もファミリーレストランやファストフード店は工場で製造されたものを温めているだけだと聞いたので問題なく食べられるが、よく知らない個人経営の店だと躊躇する。

「感じ悪いって、自分でもわかってる」

母がつくってくれた名前のない一品と自分でつくったスクランブルエッグを弁当箱に詰めた。微妙に空いたすきまに悩んでいたら、母が「冷凍食品のきんぴらごぼうあるよ」と助け舟を出してくれた。

「ものすごくがんばったら、他人の手料理を食べられる気はする」

「冬真は、ものすごくがんばりたいの？」

前回までのあらすじ

クラスメイトの道枝くんには難病持ちの美少女の妹がいるらしい、という噂を聞いた高校一年生の冬真。興味を引かれた冬真が、道枝くんの家の前まで行ってみると、あろうことかのぞき魔に間違われてしまい、そこにいた菜子さんという女性に捕まってしまう。道枝君の登場により誤解が解け、道枝くんの妹・弓歌と対面した冬真だったが、彼女は冬真が想像していた清楚なイメージとはかけ離れた、刺々しい性格をしていた。

すこし考えて、首を横に振る。母は小さく頷いて、食卓に向かった。クリアファイルに入れたままの書類を読みながらなにかぶつぶつ言い出した。こうなるともう、こちらの話は聞こえなくなる。

看護師という仕事は定期的な知識の更新が必要なものらしい。母はいつもなにかを勉強している。子どもの頃はそれをわかっていなかったので、宿題をしながら「勉強めんどい、はよ大人になりたい」とこぼして、こっぴどく叱られてしまった。

学校に到着し、村中や茅島と話しながら一時間目の授業の準備をしていると、道枝くんが近づいてきた。

「香川くん」

「あ、おはよう」

村中と茅島はぼくたちの会話を邪魔しないように気遣ってくれているのか、無言だった。彼らのみならず、さっきまで騒いでいた女子のグループまでもが静まりかえっている。こちらの会話に聞き耳を立てているのだろうか。

「あとで、ちょっと話せる?」

道枝くんが声をひそめて、ふたりで、と念を押す。

「いいよ」

「昼休みはどう?」

いいよ、とふたたび言った時には、道枝くんはもうぼくの席から離れようとしていた。

昼休みになると、道枝くんは弁当が入っているらしいトートバッグを手に廊下に出た。ぼくも鞄から弁当を出しながら、村中と茅島に「ちょっと行ってくるわ」と伝える。不覚にも声が上擦った。

「なんの話やろな」

「妹に手を出すんじゃねえ、とかかな」

「手なんか出さんよ」

手を出す、という行為が具体的になにをさすのかすらわからないほど、ぼくは色恋沙汰の経験が極端に不足している。

廊下に出ると、道枝くんは旧校舎に行こうと誘ってきた。ぼくたちの教室がある新校舎は真新しくぴかぴかだが、旧校舎は不気味だ。美術室や技術工作室などが入っていて、それらの授業のためにしか立ち入ったことがない。ただでさえ長い長い渡り廊下を通らねばならない不便な旧校舎の、そのまたつきあたりの非常階段まで行ったところでようやく道枝くんが「ここで食べよう」とぼくを振り返った。

「ここなら誰も来ないから」

日当たりが悪く、コンクリートの外階段は腰を下ろすと骨にまで到達するような冷たさで、お世辞にも居心地がよいなどとは言えなかった。

「道枝くん、ようここに来てんの？」

「たまに。ひとりで」

「ひとりで？　なんで？　いっしょに弁当食べる相手ぐらい、いっぱいおるやろ」

「いるけど、ひとりで食べたい日もあるから」

ぼくはそんな日はない。ひとりで食事をするのは慣れているけど、学校でひとりなのは嫌だ。人がたくさんいる場所でひとりなのは。

「とりあえず、食べよう」

「あ、うん」

そう広くない非常階段に並んで腰を下ろした。噂の弁当が、わざわざ覗きこまなくても間近で見ることができる。

ランチジャーに肉の煮込みのようなものが入っていて、幾何学模様のクロスの包みをほどくと、ひらべったいパンのようなものが現れた。

「昨日、弓歌がいろいろ失礼なこと言ったから、謝りたくて」

「いや……えっと、うん」

そんなことないよ、とまではさすがに言えなかった。「気にしてない」も無理だ。

「弓歌は、病気なんだ」

食べものをうまく消化できなくて、吐いてしまったり、立っていられないほどお腹が痛くなったり、するらしい。薬である程度抑えられるが、副作用で身体が怠(だる)くなったりめまいがしたりする。勉強は菜子(さいこ)さんが教えたり、オンラインの教材でやったりしている。

「え、ちょっと待って。これ、ぼくが聞いてもだいじょうぶな話？」

自分のいないところで自分の病気について話されたら、普通は嫌じゃないんだろうか。

「だいじょうぶ」

「弓歌さんの許可を得てるの？」

「憶測(おくそく)でいろいろ言われるより、知っといてもらったほうがいいって。というか香川くんは、年下の子をさん付けで呼ぶんだね」

「そらそうやろ」

「そらそう、ではないと思うよ」

年下だろうがなんだろうが、親しくない相手にいきなりちゃん付けや呼び捨てなんてできるわけがない。

「それで、病名なんだけど。ごめん、すごく長いし難しいし、言ってもわからないよね」

すこし考えてから、頷く。たしかにそうだ。

「とにかく難病。ちなみに難病っていうのは治療法が見つかってない、患者が少ない病気ってことで、ぜったい死ぬとかそういうことじゃない。誤解されがちなんだけど」

そこで言葉を切った道枝くんは、ぼくをじっと見つめながら「余命がどうこう、みたいなフィクション、よくあるよね。その日まで手を、なんとかっていう。あんなのじゃないんだよ」と続けた。「あんなの」にうっすらとした軽蔑を感じ取り、ついむっとしてしまう。

「道枝くん、ちゃんと読んだことあんの？」

道枝くんは薄いパンをスプーン代わりに煮込みを掬っていたが、手をとめて考えこむ。

「映画化されたやつなら観たよ。菜子さんも弓歌も一緒に。本は読んでない」

「どうだった？」

「弓歌はぶつぶつ文句言ってた。この女の子、ただでさえ病気でしんどいのになんで『けなげに明るく』振る舞って周囲に『生きる意味を教え』なきゃいけないの、とか」

「あ、うん」

「なんで自分の余命が僅かなのに、このクラスになじめない暗い男子の世話焼かなきゃいけないの？　この子、こいつの成長のために死ぬの？　ていうかさ、病気なんだよ、こんなやつと関わってる暇ないって、通院とかあるんだからさ。男の都合良すぎ願望だろ、とか」

「……あー、うん」

　いたたまれなさですっかり食欲が失せてしまい、弁当箱の蓋を閉じた。都合良すぎ願望か……。項垂れると、道枝くんのトートバッグから本がはみ出ているのが見えた。ぜん、１９６かこく、と声に出して読みあげる。

「あ、これ？」

　道枝くんが本を引っぱり出して、ぼくに表紙を見せてくれる。『全１９６ヵ国おうちで作れる世界のレシピ』と書かれていた。

「最近、これ見ながらごはんつくってる」

　この本は世界中を旅してまわったシェフの人が書いた、スーパーマーケットで買えるような食材をつかって本格的な料理をつくることができる、道枝くんの言葉を借りれば「どれを試してもおいしいし、最高」の本らしい。

　今日はこれ、と本を広げて見せてくれる。ランチジャーのなかみはアフガニスタンの料理で「カラヒィ・ゴシュト」という。ヨーグルトに漬けた羊肉を焼き、トマトと共に煮込む。そう説明されてもまったく味の想像ができず、そうなんや、と頷くにとどめた。ヨーグルトに？　漬ける？

道枝くんは、いつか世界中を旅したいと思っているのだそうだ。どこかに「ここだ」と思える場所があるような気がすると、至極まじめな顔で言う。ここ（が自分の居場所）だ、ということなのか、ここ（が自分の見たかった場所）だということなのかはわからないが、とにかく道枝くんは地球上のどこかにそういう場所が存在すると思っていて、見つけたらそこに永住するつもりであるらしい。

「この本は、じゃあいわば予習みたいな感じ？　行く前にそこの料理を知っとけみたいな？」

「それもあるけど、もうひとつは弓歌に食べてほしいから、だね」

どうせ食べても吐いてしまうのだからと、食事そのものを厭うようになった時期があったという。なにを食べたいか訊ねても「食べたいものなんかあるわけない」とそっぽを向いて、道枝くんたちを困らせた。

「のゆり池公園ってあるだろ」

野百合総合病院の正面にある、広い公園だ。池を囲むように遊歩道があり、広場で時々イベントが開催される。

道枝くんたちは越してきてまず最初に、野百合総合病院に行った。紹介状を渡し、主治医となる医師と面談し、血液検査やらなにやらをおこなう。引っ越しのたびにやることだが、朝から夕方までかかる。終わった時には、全員ぐったりしていた。

「その時、公園のほうからいい匂いがしてきて」

「国際交流フェス」と書かれた垂れ幕がかかっていた。さまざまな国の料理の屋台が並び、楽器の演奏や民芸品の販売がおこなわれていた。ぼくも小学生の時に一度、行ったことがある。

「バナナのフライが売ってあった。ガーナの人が出してた屋台だったと思う。それを見て、弓歌が『ちょっと食べてみたい』って言ったんだよ。そんなこと言うの、ほんとうにひさしぶりで。ぼくも菜子さんも、うれしくて」

道枝くんたちは弓歌さんは食欲がなくても、なにか目新しい料理なら興味を持ってくれるんだ、と思ったのだそうだ。もちろん、食べる日もあれば食べられない日もある。

「ぼくと菜子さんの自己満足かもしれないけどね」

そんなことないよと言うのは無責任だし、そうだねと言うのは無神経だ。だから、ちょっとずるい手をつかった。「ごはんはいつも道枝くんがつくるの？」と話題を変える、という。

「たまに。菜子さんが忙しい時にね。ぼくも、料理嫌いじゃないし」

「あ、それ。うちも」

母が看護師として野百合総合病院に勤めていることを話すと、道枝くんは「かっこいいね」と目を細めた。そうかな、そうだよ、と言い合っているうちに、昼休みが終わりそうだった。持て余す、という感覚をもたなかったのはひさしぶりだ。

教室の戸を開けたら、それまでにぎやかに喋っていたクラスメイトたちが一斉に押し黙った、ような気がした。ほんの一瞬のことで、すぐにまたざわめきが戻ってきたが、そのざわめきはなにかひどく作為的なものに感じられた。

高木さんという女子がこちらに近づいてくる。なんとなく嫌な予感がした。

「ねえねえ、道枝くん」

高木さんはぼくをいっさい見ない。もしかしたら、ここにいることに気づいてすらいないのかもしれない。

「これって道枝くんやんな？」

こちらに向けられたスマートフォンの画面の中に、道枝くんがいる。背景に広がる芝生とその上に点在するテントと掲げられたさまざまな国旗から、それがさっき話していた国際交流フェスで撮影されたものだということがわかった。カメラのほうは見ておらず、どこか遠くの誰かに向かって笑いかけている。道枝くんは白いドレスを纏っていた。袖が大きくふくらんで、胸元が大きく開いたドレスだ。この時は髪が今より長かったらしい。肩につくかつかない程度の髪に花を挿し、薄く化粧を施されてもいるようだった。

「そうだね」

一瞬の間をあけて、道枝くんが答えた。いつもとかわらない、さらりとした口調で。高木さんがぱっと笑顔になった。

「やっぱり！　これね、いとこがインスタにあげてたんよ」

「いとこ？」

「うん。けいちゃん」

あ、うん。うん。道枝くんは笑顔で頷いている。高木さんのいとこの「けいちゃん」は野百合市内の国際交流プラザというところに勤めていて、件の公園のイベントで道枝くんと知り合ったという。「民族衣装を着てみよう」というコーナーがあって、道枝くんは「けいちゃん」から、きっと似合うよ、とこのドレスをすすめられた。

「向こうから声をかけてくれて、これ着てみない？　って」

「めっちゃ似合ってるよ。かわいい！」

その発言を皮切りに、高木さんのまわりに何人も寄ってきた。男子も女子もだ。村中と茅島も一緒に。ぼくたちが非常階段にいるあいだに、みんなで道枝くんの画像を見ていたようだった。

「まじで似合ってる」

「ねー。ぜんぜん違和感ない」

「道枝、そこらの女よりかわいいんちゃう？」

「あたし、負けたかも」

口々に好き勝手なことを言っているが、全体的に好意的な反応、と言ってよかった。すくなくとも、道枝くんが女性のドレスを着ているのがおかしなことだとは誰も思っていないように見えた。あるいは、そう見えるように振る舞っていた。

「写真撮られてるとは、思わなかった」

道枝くんは言いながら、涙をぽろりとこぼした。泣いていることに自分でも気づいていないような泣きかただった。床に丸い模様がいくつかできた。高木さんが驚いて、なだめるように道枝くんの腕に触れる。

「道枝くん、だいじょうぶだよ」

「そうだよ、だいじょうぶ。ぜんぜん恥ずかしがることじゃないよ」

女子のひとりも言い添える。男子の何人かも「どんなかっこしてたって道枝は道枝やんか」「自分らしく、堂々としてたらええと思うよ」と言い添える。気遣うように、明るくやさしく。いったいなにが「だいじょうぶ」なのだろう。

「……ごめん」

道枝はくるりと踵を返し、教室を出て行った。男子のひとりが追いかけようとして、かたわらの女子に制止された。午後の授業がはじまっても、ホームルームが終わっても、道枝くんは教室に戻ってこなかった。

高木さんが机に突っ伏して泣き出した。

「高木ちゃんのせいじゃないって」

誰かがそう慰めていた。ここはほんとうにやさしくてあたたかくて美しい世界だ。ぼくは道枝くんの机に向かい、リュックを持ち上げる。

「なにしてんの、香川くん」

有野さんが咎めるような声を発した。

「かばん、持っていってあげようと思って。ぼくの家、道枝くんの家の裏やから」

教室を出る直前、「いっぺん一緒に弁当食っただけで友だち気取りか」と言う声が聞こえた。

ふりむいたら茅島と目が合った。やさしくあたたかく美しい世界にも、刃は存在する。茅島は自分の発した言葉に傷ついたような、恥じているような表情を浮かべていて、だからぼくは、傷つかずに済んだ。

道枝家はしんとしていた。インターホンを鳴らしても反応がない。道枝くんはいなくても、菜子さんか弓歌さんのどちらかはいるはずだと思っていた。しばらく家の前で行ったり来たりしていると、弓歌さんがエコバッグをぶらさげて歩いてくるのが見えた。今日はフードのついたワンピースという出で立ちで、足元はやはりサンダル履きだった。大きく手を振ると、怪訝な表情ながらも会釈してくれた。

「ひとりで出歩いて、だいじょうぶなん？」

「だいじょうぶってなにが？　歩けない病気じゃないよ」

「だって、弓歌さんはへんな男に狙われがちだから警戒してるって、菜子さんが」

「そうだよ。警戒してるよ。でもだからって、わたしがひとりで歩く自由を奪われる筋合いはないね」

弓歌さんはふん、と鼻を鳴らした。そのままぼくにかまわず家に入ろうとするので、あわてて道枝くんのリュックを差し出した。

「待って、これ。道枝くんに渡して」

「自分で渡せば？　中にいるから」

ほら、とドアを開けて、ぼくに「はやく入ってよ」と促す。

「菜子さんは？」

「今日は出かけてる。ミーティングだって」

ミーティング。社会人の口からたまに出る言葉だが、具体的になにをしているのかよくわからないもののひとつだ。「出張」や「残業」もそうだけれども。

「綱。いるんでしょ。返事して、綱」

弓歌さんはめんどくさそうに名を呼びながら廊下を歩いていく。道枝くんのリュックを抱えたまま、あとに続いた。なつかしいような甘い匂いが漂ってくる。道枝くんは台所にいた。私服に着替えていて、黒いエプロンをしていた。ぼくを見ても気まずそうにするでもなく、帰ってくれと声を荒らげるわけでもなく、静かに微笑んだだけだった。

「インターホン、何回か鳴らしたんやけど」

壊れてるの、と弓歌さんが言った。

「ボロ家だから、ここ」

「香川くん、リュック。ありがとう」

「うん。教室に置きっぱなしやったし」

見るともなしに、流しのかごに目をやる。ランチジャーがきちんと洗って、伏せて置かれていた。弓歌さんの姿はいつのまにか消えている。自分の部屋にいったんじゃないかな、と道枝くんが教えてくれた。

道枝くんに手招きされて、コンロに歩み寄る。鍋の中で黄金色の油がかすかに揺らめいていた。ボウルに入ったうすいクリーム色の生地をスプーンで掬って、静かに油に落とす。じゅわっという音とともにこまかな泡が生まれ、生地はぷっくり膨らんで、表面に浮き上がった。

「これもどこか外国の料理？」

「いや、これは母が昔つくってたおやつ」

「菜子さん？」

道枝くんは睫毛を伏せて、菜子さんはぼくたちの母親じゃないんだよ、と静かに呟いた。頭にたくさんのクエスチョンマークが浮かんだが、おそらく今はそれを訊ねるべきタイミングではないと思った。

「砂糖を振って食べる。ドーナツに似てる、かな」

道枝くんはそれ以上なにも言わずに、ドーナツのようななにかを油で揚げ続けた。ぼくもなにも言わなかった。きつね色にあがったそれはみるみるうちにバットに山盛りになって、ボウルは空になった。道枝くんが火を止める。

「あのクラスのみんなは、いい人たちだね」

「いい人たちやから、嫌やったん？」

　ぼくの問いに、道枝くんはすこし考えこんでから首を横に振って、それから頷いた。みんなの態度から、あの画像を理由にからかってもいけないし根掘り葉掘り質問してもいけないし、もちろんぜったいにへんな目で見るべきではない、という配慮(はいりょ)を感じたと言う。

「だいじょうぶだよ、って言われて、でも、なんか嫌だった。だって、だいじょうぶってなに？　そういうふうに思ってしまう自分も嫌だった。けいさん……あれを撮影した女の人、いつのまにあんな、勝手に……それもショックだった。隠すようなことじゃない、恥ずかしいことじゃない、って、どういう意味なんだろう。だってそれはおれが決めることなのに」

　頷いた瞬間、タイミング悪くぼくのお腹が鳴ってしまう。

「自分らしくってなに？　おれらしいってなに？　そんなの自分でもわかんないのに。だいじょうぶだとかだいじょうぶじゃないとか、他人が決める問題じゃないんだよ」

「うん」

「それと。それとね。今まで弓歌が知らない人に勝手に撮られたりすること、おれはそれがどれほどひどいことか、今までわかってるつもりでいたけど、やっぱりちゃんとわかってなかったかもしれない。気がついて、また自分が嫌になって」

道枝くんがこんなにも真剣に、そして率直に自分の気持ちを打ち明けてくれている最中だというのにさきほどから繰り返し鳴り続けている自分の腹にパンチを打ちこみたくなった。その音は道枝くんにも聞こえてしまっていたようで、しかたのなさそうに笑いながら「これ、食べる?」とバットを指さす。

「あ、でもそうか。ごめん」

「いや、食べたい」

道枝くんはびっくりしたように瞬(まばた)きを繰り返して「だいじょうぶ? 無理してない?」と念を押す。ぼくが頷くと、道枝くんはぼくに向かってバットを押し出した。

バットの上の「ドーナツに似たなにか」に、グラニュー糖が振りかけられる。台所の小さな窓から射す日光に反射してきらめく砂糖は、表面にこぼれ落ちるなり雪のように溶ける。

指でつまんで、口に入れた。歯を立てるとじんわり油が染みだす。舌先でざらりと砂糖の甘みを舐(な)めとり、熱さに涙目になりながら飲みくだした。もっとあぶらっぽいのかと思っていたけど、ちっともそんなことなかったし、鼻に抜ける香りがさわやかだ。生地にレモンの皮をすりおろして混ぜてあるのだそうだ。

おいしい。本心からの言葉が漏(も)れた。母には世界を信頼していないと言われた。たしかに、そうかもしれない。でも、道枝くんのことは信頼する。いい人たちだから嫌だったと、「配慮」されて嫌だったと、自分の言葉で違和感を表現する道枝くんを、ぼくは信頼する。

「これ、めちゃくちゃおいしい」

道枝くんもひとつ口にいれて、「ほんとだ」と自分で言って、すこし笑った。

「香川くんって、なんかいいよね。弓歌もそう言ってた」

「え、弓歌さん、ぼくのことほめてくれてたん？」

「うん。あの人ちょっとおかしいよね、って言ってた」

「それ、ほめてないやん」

がっかりはしなかった。ぼくは「なんかいい」と言ってもらうに値しない人間だから。現実を生きるひとりの人間に「難病の美少女」とラベリングして、エンターテイメントを楽しむように消費しようとした。彼女をのぞいたりつけまわしたりした男たちと、なにも変わらない。ポケットの中のスマートフォンが振動した。さっきの、という出だしが見えた。茅島からのメッセージだ。そのあとになんと続いているのかはわからない。ごめん、と続くのか。あるいはさきほど言い足りなかった批難（ひなん）の言葉が続いているのか。どっちにしろあとで読もうと、そのままポケットに戻す。道枝くんに「だいじょうぶ？」と心配そうに問われ、今のぼくはいったいどんな顔をしているのだろうと思いながら頷いた。

「うん。友だちから連絡。あとで電話する。だいじょうぶ」

道枝くんは「友だち」と繰り返してから「ぼくも香川くんと友だちになりたい」と言った。すこし震えたような、小さな声だった。あっけにとられて、返事ができない。だめかな、と道枝くんが不安そうに俯いた。

「いや、だめとかじゃなくて……もう、なってると思ってた」

道枝くんは思っていたよりずっと遠慮がちな人なのかもしれない。あるいは、ぼくが自覚していたより馴（な）れ馴（な）れしい性格なのかもしれない。でも「そっか。よかった」と笑う顔を見たら、そんなことはどっちでもいいと思えてきた。

玄関で物音がして、道枝くんが「菜子さんが帰ってきたみたいだね」と呟いて、名前のわからないなぞのおやつを皿に盛りつけはじめる。

そういえばさっき、菜子さんは母親ではない、と言っていた。あれはいったい、どういうことなんだろう。気になるけれども、急いで訊ねることはない。道枝くんとぼくは友だちになったばかりなのだから。

〈つづく〉

桜風堂夢ものがたり2　第三回　プロローグ

優しい怪異（中編その2）

村山早紀
Murayama Saki

「きゃー、こういうお茶、久しぶり」

幾度かの乗換の果て、ついに桜野町（さくらのまち）の最寄り（もより）の駅に向かう電車の中で、苑絵（そのえ）の母、茉莉也（まりや）が声を上げる。

七月半ば。夏の旅路でのことだ。

さっき、親子ふたりでこの電車に乗り換えたとき、ちょうどお昼時だから、と、駅の小さな売店でお弁当を買った。そのとき茉莉也がめざとくお茶を発見したのだ。針金の取っ手がついた、半透明の容れものに入った熱いお茶は、たしかに苑絵にも久しぶりのような気がする。――といっても、家にこもっていることが何より好きで、遠出をする機会が少ない苑絵なので、いまひとつ自信がない。

熱くなった樹脂と、お茶の香りが漂ってくる。火傷しそうなそれを窓の前に置くと、電車の揺れやレールを走る音と相まって、まさに旅の途中なのだという実感がいや増した。

（いいなあ、胸がわくわくするなあ）

考えてみれば、陸路の旅なんて、どれだけぶりだろう、と苑絵はしみじみと振り返る。

早朝、地元風早の駅を出て以来、何度も乗換が続いたので、心配性の苑絵には、いままで旅情に浸る余裕がなかった。事前に繰り返し繰り返し、スマートフォンで行き方を調べてきたものの、乗換やホームで乗り場を間違えないように、発車時刻に遅れないように、と気をつけながらの移動は、緊張の連続だった。

思うに、これがまだ空路の旅ならば、飛行機は絶対に空港にしか降りないので、飛び立ちさえすれば迷子になることはない。けれど陸路は——線路は地上にどこまででも続いているから、乗換を間違えたら、この世の果てまで連れていかれそうで、恐ろしかった。

旅の荷物もそこそこ重くてかさばる。化粧品に着替えなどのいわゆるお泊まりセットはたいしたものは持ってこなかったのだけれど、カフェ開店の役に立つかも知れないから、と愛用の画材や道具のあれこれを旅行鞄に詰め込んだらこうなってしまった。乗換のとき、荷物を席に忘れたり、電車と線路の間に落としたりしたらどうしようかと不安で胸がどきどきして困った。そもそも、乗換のタイミングで、その都度、電車をちゃんと降りられるか、それが不安でしょうがなかった。

あまりない機会だけど、ふだん旅行に出るときは、旅慣れて気が利いた親友、三神渚砂と一緒なので、彼女がてきぱきと世話を焼いてくれる。苑絵はついていくだけで良いから、のんびりしていられるのだけれど。

でも今日は、苑絵がアテンダントになって、旅慣れているけれど気ままでマイペースな母を、目的地、桜野町に連れていかなくてはいけないのだ。

そう思うと、我知らず背筋が伸びる。

(待ってて、桜風堂書店さん。……と、月原さん。苑絵がいま、行きますから。たぶんその、あまり役に立たないですけど。というか、いっそ邪魔かも知れないですけど。でも、とりあえず、お店にうかがいますから)

カフェ開店二日前の桜風堂書店に、苑絵は向かっているのだった。開店直前の準備を手伝うために。

七月中旬、梅雨が明ける頃。山間の古い町、桜野町にある桜風堂書店では、ついに店内のブックカフェ開店の日が近づいた。

　桜野町は、その歴史は古いものの、いまはほぼ忘れられた観光地、人口は少なく訪れる者の数も以前には遠く及ばないといえど、月原一整が桜風堂を訪れ、その後継者となって以来、何かと話題になることも多い。最初はインターネット、のちに間口の広い、新聞やテレビ、雑誌などで評判になったことから、ずいぶん遠くに住むひとびとにも、桜風堂を贔屓にするひとびとは増えていた。

　由緒正しい祭である、星祭りの日に行った、桜風堂書店主催の合同サイン会も、近辺の町だけではなく、遠距離からの集客をも果たし、インターネットを通して、遠く海外の地でも話題になった。そのことがまた宣伝となり、ひとを呼んだ。

　この時代、世界にも日本にも悲しい話題が多く、恐らくは誰もが心温まる話題に飢え、優しいお伽話への憧れもある。失意の書店員が歴史ある山間の書店を受け継ぎ、文化の灯を守り続けようとしている――その一連の流れを喜び、応援したいと思うひとびとは、日本や世界のそこそこに存在しているようで――つまりは、ささやかなブックカフェの開店がどれほどの話題になるか、どれほどの客が当日集まるか、やや、予測がつきづらくなっていた。

　物語の時間は、やや遡る。まだ梅雨が明ける前の、六月終わり頃のことだ。

　その日、月原一整からメールで相談を受けた、元彼の勤務先であり、いまはチェーン店の仲間でもある、銀河堂書店の店長、柳田六朗太は、店が閉店した後、中央のレジ前にスタッフを集めていった。

「『もし、開店当日にお客様がひとりもいらっしゃらなかったらどうしよう』って悩みはまだわかるぜ。けど、『逆に、どれほどたくさんのお客様がいらっしゃるかわからない、自分にさばききれるだろうかとも思います』なんて不安の方は、聞かされたこっちも困るというか、今時、贅沢な悩みっちゃ悩みなんだけどねえ……」

柳田は眉を寄せ、芝居じみた仕草で腕組みをする。

「月原がこんな風に気弱になるのは、俺の記憶にある限りでは、合同サイン会の前と今回とで、たったの二回目だ。——どうする？　みんなでちょいと手を貸してやるか？

お客様が来なかったときは、まあ仕方がない、これからのやり方を考えるとして、逆に、お客様が殺到したときが問題なんだよ。月原はそれを心配している。俺もだ。せっかくたくさんお客様が来てくださるかもしれないものを、ちゃんとおもてなしできずに、がっかりさせて帰すのもいいことじゃないからな。いきなり商売繁盛過ぎるのも、若い店長には手に余るだろうから、我ら銀河堂書店のメンバーで、できうる限り、バックアップしてやろうじゃないか？」

集まった面々は、それとなく棚を片付けたり、掃除をしながら、うんうんとうなずく。

「何しろあの店まではずいぶん遠い。いや直線距離はさほど遠くもないんだけど、あちこち廃線になったり駅がなくなった関係で、やたらと遠回りして、電車を乗り換えて行かなきゃいけない。移動にやたら時間を食う。だから、無理に手伝ってくれとはいわない。そもそも開店の頃は夏休みだ。うちのお店もお客様は増えるし、お子様たちも殺到するしで、棚も平台も荒れるし、万引きの危険もトラブルも増えるだろう。そんなときに、チェーン店の仲間の店だからと助けに行ってくれというのも、無茶だってわかってる」

棚の本の背表紙を整えながら、副店長の塚本が、

「ほんとうに、月原くんに甘いですよねえ」

クールな表情でいいながら、目元は笑っている。

「うるせえ。仲間だろうよ?」

「はいはい」

副店長は肩を軽くすくめ、

「まあ、わたしは釣りのついでにですが、過去何度かあの店に行きましたが、正直なところ、由緒正しい店、かつ話題の書店とはいえど、山の中の寂れた商店街の書店です。新しくカフェスペースができるからといって、彼が心配するほどお客様が

殺到するとも思えないんですよね。夏休み中とはいえ、平日ですし」

「俺や月原の考えすぎだっていうのか?」

柳田がちょっとむっとしたように、鼻の穴をふくらませるのに、副店長は優雅に首を横に振り、

「いやいや、お客様が殺到するに越したことはないじゃないですか。わたしもむしろそうであって欲しいと思っています。で、実際、そんなことにでもなれば、月原くんとあの店のスタッフだけでは手に余るでしょう。まあ、その可能性は低いと思いますけどね。——なので、手伝いは必要ないという意味ではなく、誰かが助力に行くけれど、あくまでも肩に力を入れすぎない感じで、気楽に出かける感じでいいんじゃないかと思うわけですよ。あくまでも念のため。お守りみたいな感じでですね。いつかの合同サイン会の時のように大変なことには、まずならないでしょうから。開店のイベントをするわけでもなく、特別なゲストが来るわけでもない。ブックカフェはこの後も続いていくわけですから、お客様たちとしては、オープンの日に、何が何でも焦って詰めかける必要もない。でしょう?」

「まあそれはそうだな。正直俺も、月原はちょっと神経質になってるんじゃないかと思ってはいるんだ」

頬をかきながら、柳田はいった。「月原は元々、よくいえば慎重、いっそ心配性

の気があるし、自分に自信がない方だしな。一方で、カフェスペースの開業の方は、この先、桜風堂書店が巧くいくかどうか、それに関わる、大切なことだ。先代の店長から譲られた大切な店、絶対にうまくいかないといけない、そう思い詰めるだけ、開業の日が不安になるんだろう」

うんうんと副店長がうなずく。

「まあ、あの月原くんが不安を口に出せるようになっただけ、良かったといえるんじゃないでしょうか。——彼、以前は人慣れない野良猫みたいに、わたしたちから、さりげなく距離をとってましたからね」

「それはまあ、そのとおりだよな」

柳田は笑い、ラジオ体操のように、軽く腕を振った。集まった皆を見回して、

「そういう訳で、さて、誰が手伝いに行く？」

「カフェの接客はしたことないけど、何かしら手伝えると思うので、わたしが行く」

勢いよく手を挙げたのは、文芸と文庫の棚を持つ三神渚砂だった。夏のその時期、忙しいのは事実だけれど、一日二日店を空けるくらいの余裕はあるし、作るから大丈夫、と胸を張った。

「オープンの当日と翌日の二日間、出かけてきていいかな？　そしたら、いちばん

大変なときのフォローはできるんじゃない？」

「そうだな。行ってくれるか？」

「おっけー」

彼女は何しろ、車もバイクも運転できるので、行く手がどんな山里であろうとも、ひとりで行動できるあたりも強い。移動にも旅にも慣れている。本人がいうようにカフェの接客については未知数だけれど、器用で体力も気合いもあるので、頼りになりそうだとその場にいた誰もがきっと思った。

同時に、はいはい、わたしも開業の日にぜひ、と剽軽(ひょうきん)な笑顔で手を挙げたのは、パートの九田(くだ)だった。

「枯れ木も山の賑わいっていうか、いままでいくつかの店でオープニングに立ち会ってるので、まあまあ、お役に立てるかな、って」

おっとりとした見た目と違って、彼女には大型バイクという趣味がある。接客のキャリアも長いので、彼女がいるなら、まず大丈夫だろうと、これもきっとその場にいる誰もが思った。ちょっと方向音痴なところがあるので、無事に目的地にたどり着けるかどうか、そのあたりだけ一抹(いちまつ)の不安があるけれど。

後れて、迷い迷い、おずおずと手を挙げたのが、苑絵だった。

「――夏休みに自分の担当の――児童書と絵本の棚から目を離すのは……どうかと

思うのですが……」

　でも行きたいのだ、と伏し目がちなまなざしにそれでも力がこもっていた。

「開業の日は、三神さんと九田さんがいれば、百人力だと思います。わたしはその、開業の前々日から前日あたりにうかがえたら、と。それでしたら――何か作るとか、何か飾るとかのお手伝いができるかも、と思いますので。そういう、あの、雑用といいますか、わたしでもお手伝いできることが、何かしらあるかもしれませんので……」

　言葉にするうちに自信がなくなってくる。徐々に、顔がうつむいてくる。

　なるほど、と、柳田の朗らかな声がした。

「うちの店としても、いまの時期、同じ日に、エース級の書店員が何人も店を空けるのは辛いところがあるしなあ。卯佐美が手伝いに行く日程をずらしてくれるなら、助かるよ」

「ありがとうございます」

　ふわふわしたくせっ毛の頭を揺らし、ひょこんと頭を下げる苑絵に、柳田は優しく声をかけた。

「おまえが行けば、月原も喜ぶと思うぞ」

　苑絵は頬を赤く染め、ぶんぶんと手を振る。

「そ、そんなことは全然ないと……わたしが勝手に、無理に行きたいだけですので。むしろ、邪魔、かもと……」

仕方がないなあ、というように柳田は笑い、苑絵の肩を軽く叩いた。

「おまえももっと、自信を出せ。おまえはきっと自分が思うよりずっと、月原に感謝されてるし、何よりすごい絵の才能を持ってるんだぞ」

「――そそそ、そんなことは」

渚砂がそばにきて、

「まったくもう」

と、呆れたようにいった。

「もうさ、子どもの頃からあんたのそんなところ見てきてさ、いい加減飽きたっていうか、いつまでもそんなだとさすがにそろそろ見放しちゃうからね？」

「あの、それは……ちょっと困る」

「じゃあ、顔を上げて、はい、自信を出す」

ぱん、と背中を叩かれた。心地よく優しい痛みはそのあともずっと残っていた。

副店長の塚本（つかもと）が、さりげないいい方で、

「じゃあ、わたしは開業二日目辺りで、さりげなく様子を見に行くことにしましょうかね。先日桜野町の近所まで釣りに出かけた折、よいワイナリーを見かけましてね。帰りにそちらに足を伸ばそうかと思います」

「あ、いいなあ」と柳田が声を上げる。「俺にもお土産とか」

「まあ、気が向いたらですね」

「ちぇ」


そんなこんなで、七月中旬のとある日、苑絵は桜野町目指してひとり旅立つことになったのだけれど、帰宅後、その話をしたところ、母茉莉也が同行することになった。明るい笑顔で当然のように、じゃあママも行くわ、といわれたのだ。

最初、驚いて断ったのだけれど、何しろ苑絵のことだ、勢いで手伝いに行くと決めたものの、目的地に無事たどり着けるかどうか実は自信がなかった。内気で引きこもりがちで、家にいるのが何より好きな苑絵である。よく接客の仕事をこなせているると自分でも不思議なほどだった。たぶん子どもの本への愛でなんとか頑張っているのだろうと思う。

実のところ、苑絵は合同サイン会の時一回切りしか、桜野町には行ったことがなく、そのときも店の皆と一緒に車に乗せてもらって行った。陸路で電車を乗り継いで行けると知ってはいたし、渚砂から聞いたこともあるけれど、実際に自分が電車で行ったことはない。

冷静になって考えてみると、苑絵ひとりの旅よりも、世慣れて旅慣れたキャリアウーマン（おまけにお金持ち）の母と一緒の旅というのは、安心なのかも知れない、と思った。

いい年して保護者と一緒というのは情けなかったが、背に腹は代えられない、と苑絵は肩を落とした。この際、桜風堂書店に無事に着く、ということが何より大事なことなわけで、苑絵の小さなプライドなんて、その前にはどうでも良いことなのだ、きっと。

少しだけ胸が痛んだのは、これでまた渚砂と差がついてしまう、ということだった。長年の付き合いの親友同士なのに、これでまた、かっこいい親友に置いて行かれてしまう。

ひとりでは電車の乗り換えもおぼつかない苑絵と、バイクや車で颯爽と野山を越えてゆく渚砂。ついでにいうと、渚砂は賢く凛としてかっこいい美人で、常に危なげがない。苑絵は何もないところでもつまずき、街中でも道に迷う、危なっかしいだめ人間だ。およそまともな社会人とはいえない。

ずっと一緒の親友同士なのに、なんでこんなに違うのか。

（というか、渚砂は超かっこよくて、わたしは超だめだめってことなのよね）

月とすっぽんとかそういう感じ。

ふう、と苑絵はため息をつく。

店で、渚砂が何気なくいった一言が、実はあれ以来、胸に刺さっていた。

『もうさ、子どもの頃からあんたのそんなところ見てきてさ、いい加減飽きたっていうか、いつまでもそんなだとさすがにそろそろ見放しちゃうからね？』

同じような言葉をいままで何度も冗談交じりにいわれてきたけれど、今回は特に辛かった。

頭を抱えたくなる。――うん、見放す、と思う。自分が渚砂の立場なら、苑絵なんかとっくに見放している。渚砂は偉い。とても心が広いのだ。苑絵がよたよた歩いてついて行くのを、いつも少し先で待っていてくれる。

（でも、これじゃいけないと思うんだ）

ふたりとももうおとなになったんだし。少なくとも苑絵は、このままいつまでも、待っていてもらう自分ではいけないと思っている。心配されて気遣われる自分はもう嫌だ。

なぜって、美しくないから。

かっこわるくて、自分が自分を許せないからだ。

誰かが笑うから、誰かが指を差すから強くなりたいとか、そういう訳ではない。自分なりの美学の問題で――そして、子どもの頃から思っていたように、大好きな親友、渚砂と肩を並べられるような、立派な女性でいたかった。

(成長しなきゃ。わたしはおとなにならなきゃ、だめなんだ)

もう何度目になるだろう。自分にいいきかせた。わたしも凜とした人間になりたい。ひとりで立てる人間でありたい。

(もし――渚砂ちゃんが、月原さんを好きになったとして……わたしに遠慮なんかしないで、想いを伝えてくれるように。わたしのことを心配して、我慢するとか、そんなことがないようでありたいんだ)


いつからだろう。

渚砂が月原一整を好きなのでは、と、その気配に気づいていた。

「そんなことないよ、全然ない。好みじゃないもん」

苑絵が訊くと、けらけらと笑い、大きく首と手を横に振って否定する渚砂だけれど、付き合いが長く、勘の良い苑絵だ。言葉に嘘が混じっている、そのわずかな色合いに気づいていた。

渚砂はとても強いひとだ。何かしら信念や理由があるときは、自分の感情は上手に隠す。浮き沈みが激しく、すぐに滅入(めい)って傷ついて、喜怒哀楽(きどあいらく)がだだ漏れになってしまう、弱い苑絵とは違う。

恋心を隠すと決めた以上、渚砂がそれを貫くことは間違いない。――この先、誰にも、もちろん月原一整本人にも、そのことは口にせずにいるだろうことが、苑絵にはわかった。

(たぶん、わたしが月原さんに、わりとその、片思いしてるから――だよね)

　昔から恋愛巧者で、こういったことには勘とセンスが良い渚砂のことだ。ぴんときているのに違いない。

(そしたら、渚砂ちゃんは絶対にわたしも好きだとかそんなことはいわないんだ。そういうひとだから)

　美味しそうなケーキがあれば、わたしはいい、と苑絵に笑顔で差し出す。それが渚砂だ。微塵も食べたいなんて顔に出さない。

　月原一整はケーキではないけれど。

(いや、それはたしかに、渚砂ちゃんが告白とかすれば――あんなに素敵な子なんだもの、望みはきっと叶うんだけど。ふたりは恋人同士とかになってしまうんだろうけど……)

　そしてきっと、ゆくゆくは結婚するのだ。可愛い子どもが生まれたりして。

　想像すると、ひどく胸が痛む。

　そんなことになれば、心の中がたくさんの絵の具を混ぜたように、はてしなくよどんで、寂しい暗い色になるような気がした。――けれど。

もし、そんな未来があるのなら、それはきっと正しい未来だと思った。

きっとふたりは幸せになる。それなら、いいのだ。苑絵はその方が良い。

たとえば——そんなこと、万が一もないと思うけれど、苑絵が一整と結ばれる、そんな未来があるとしても、自分には一整を幸せにしてあげることはできないと思った。きっと重荷になる。

(わたしは弱い、だめな人間だもの)

絵が少しだけ上手だという、それくらいしか、取り柄のない人間なのだ。

自分の中にある、ほんのわずかな強さをかき集めるようにして、苑絵は願う。

いつかそんな未来が——ふたりが結ばれる未来が来たときに、自分が寂しくならず、ひとりで笑える人間であれますように。

ふたりの幸せを願い、遠く近くで見守っている、そんな自立してかっこいいおとなになりたいなあ、と思う。

幸い、苑絵には母の友人である柏葉鳴海を始めとして、独り身でも強く楽しそうに生きている年長の知人が多くいる。もしかしてこの先添い遂げたいと思うほど好きになれる誰かがいなかったとしても、彼ら彼女らのように、気ままに楽しく生きていけば良いのだ、と思った。

(強くならなくちゃ)

渚砂が安心して一整に告白できるように。彼女が苑絵を気遣わなくても済むように。ひとりで先に進めるように。

渚砂が幸せでいてくれることが、彼女の親友である苑絵の大切な願いなのだから。

「ねえ、苑絵ちゃん、このお茶があると、旅行してるって気分になって、ママ、懐かしくてたまらないわ。こう、胸がキュンとなるというか。——そもそも旅の目的地は、桜野町なんですものね。何十年ぶりになるのかしら。ずっと守れずにいた約束を果たすみたい」

母のくっきりとした大きな目が涙で潤む。長い睫毛のマスカラが滲みそうで、苑絵は慌ててハンカチを差し出した。

「ありがと」

母はハンカチを受け取り、目元を押さえた。

苑絵の母茉莉也は、若い頃アイドルだった。結婚とともに芸能界を引退、やがて生まれた苑絵を育てつつ、子供服のブランドを立ち上げ、いまは共同経営者である苑絵の父とともに、ブランドを世界展開させている。

彼女はアイドル時代、仕事で桜野町を訪れたことがあったそうで、そのときに町に癒やされ魅了され、再びこの地を訪れたいと心に誓ったのだという。知り合った町のひとたちにも、きっとまた来ますと約束したとか。

　つまりはそういう訳で、苑絵が桜野町にひとり旅をすると話した途端、「ママも一緒に行くわ」と、同行を決めたのだった。

「旅慣れない苑絵ちゃんだけを、長い陸路の旅に出すわけには行かないし、ママだって、久しぶりにあの町に帰りたいんですもの」


　茉莉也の桜野町への想いについては、幾度か聞いたことがあった。月原一整の桜風堂書店を通して、その町と苑絵にささやかな縁ができたこともあって、その町の名前が母子の話題に登る機会も増えていたし。

「ママ、正直、実の家族とは縁が薄くてね。生まれ育った故郷にも、あまり良い思い出がない、寂しい女の子だったわけ。でもね、そんな話をぽろっと桜野町のひとたちに話したらね、『この町を故郷にすれば良いよ』っていわれたの。『辛いことと寂しいことがあれば、いつでも帰っておいで』って。ちょうど仕事で色々あった時期だったから、優しい言葉が胸に染みてね。『きっとまたここに帰ってきます』って、町のひとたちに約束したのよね。

　その気持ちはほんとうだったんだけど、仕事が忙しかったのと、そのうちにパパと出会って、結婚が決まって、お仕事を辞めて、すぐにあなたが生まれて、子育てしながら新しい仕事を立ち上げてって、しているうちに、時間はびゅんびゅん過ぎていってね。懐かしい町に帰り損ねてたの。――どうでも良かったわけでも、忘れてた訳でもない。いい訳するわけじゃないけどいつでも帰れるって思ったからこそ、帰り損ねてたっていうのかな。いつも胸のこの辺に、あたたかい思い出があって、いつかあそこに帰るんだって、思ってた」

だから今度こそ、あの町に帰るのよ、と茉莉也は握りこぶしを作った。

「鳴海ちゃんに先を越されたの、正直ちょっと悔しかったたし。なんてね。あはは」

アイドル時代からの親友にして、かつてのライバルでもある女優柏葉鳴海は、桜野町にもう何度も足を運んでいる。茉莉也は仕事の忙しさもあって、行きそびれていて、今度こそは、と張り切っているらしかった。

電車は妙音岳（みょうおんだけ）の裾野（すその）の平野を行く。

夏の青空の下、のどかな景色が続いていた。時折、日差しを受けて銀色に輝く川の、その上に架かる橋を渡る。田畑が続き、果樹園らしい場所があり、それを守るように昔風のたたずまいの家々がある。庭先に三輪車や、犬小屋があったり、物干し綱にたくさんの洗濯物が揺れていたりする。電車の心地よい揺れの中で、そんなどことなく懐かしい景色の繰り返しを――まるで立体化した、今風の絵巻物のような――見ていると、苑絵はいつか、うとうとと、眠くなってきた。

前の夜、緊張と旅の準備で遅くまで眠れなかったので、ベッドの中で目を閉じたと思ったらもう、出発のためにセットしたアラームが鳴る時間で。あたふたと顔を洗い着替えて、母とふたり予約していたタクシーに乗って、駅に向かって。そのあとは乗換の連続で……。

いまのいままで、ほっとできる時間がなかったような気がする。

向かい側の席を見ると、母の茉莉也も一足先に目を閉じて、何を思うやら、うっすらと口元に笑みを浮かべて、夢でも見ているようだった。

(終点まで乗るんだし、少しくらいうたた寝してもいいよね……)

苑絵は小さくあくびをして、電車の窓に寄りかかった。日差しを受けた窓ガラスは、柔らかく暖まっていた。


かたりと電車が揺れて、苑絵はふと目をさました。

窓の外には、どこまでも青い夏の草原が広々と続いている。電車はゆっくりとその中を走る。まるで海の波を分ける、船のように。

日差しを受けてきらきらと輝き、風にそよぐ草原は、とても美しく、いつまで見ていても飽きることはなかった。

その草原には、線路沿いに色とりどりの風車(かざぐるま)が差してあった。くるくると楽しげに回っている。

気がつくと地平線いっぱいに風車は回っていて、苑絵は窓に顔を押しつけるように、その情景に見とれつつ、これだけの数の風車を作って並べるのは、時間とひとでがかかって、大変だったろうなあ、と、感動していた。

電車は草波と回る風車の間を抜けて走ってゆく。少しだけ、速度がゆっくりになったと思ったら、草の波に埋もれるように、寂れた小さな駅があった。

駅の名前すら読み取れないような、小さな駅の名残(なごり)のようなその場所のプラットフォームに、ひとりの小さな女の子が立っている。輝く草の波と、回る風車の中に、ふわふわとしたくせっ毛をそよがせて電車の方を向いている。

あどけない笑顔を浮かべて、大きく、手を振った。

「え？」

笑顔が可愛かったのと、電車に向けて――苑絵に向かって手を振っているのがわかったので、苑絵はなんだか嬉しくなって、とっさに手を振り返してしまった。

大きな目が（誰かに似ていると思った。知っている誰かに）、いつまでも苑絵を――電車を見送っているのがわかった。

スマートフォンのアラームが鳴った。

はっとして苑絵は目をさました。——降りる前に準備ができるように、終点の駅への到着の五分前にアラームが鳴るようにセットしていたのだ。

窓の外には、一面の青い草原も風車もない。

のどかな田畑が続くばかりで——夢を見ていたのかな、と苑絵は首をかしげる。

まだあの小さな女の子の笑顔が見えるようなのに。

(可愛かったなあ)

肩に掛かるふわふわのくせっ毛も。

大きなきらきらとした瞳(ひとみ)も。

どこかの誰かに似ているようで、たしかに知っていると思うのだけれど——それが誰なのか、どうにも思いだせない。あと少しのところで。

(まあ、夢の中のことだもの。もともと論理的じゃないっていうか、混沌としてるのかも)

きっとほんとうには、似ている誰かなんていないのだ。

寝起きの、まだぼんやりとする心持ちの中で、苑絵は笑い、旅の荷物を持ち上げ、降りる準備をする。向かいの席でうたた寝していた茉莉也が、優雅に両手を挙げて伸びをした。

「いま、ママね、すごい可愛い女の子が出てくる夢を見ちゃった」

「夢？」

「小さい頃の苑絵にそっくりな女の子の夢」

「え」

胸の奥がどきりとした。

夢の中のあの子は、苑絵に似ていたかも知れない。そうだ。アルバムの中の幼稚園の頃の苑絵が、あんな風に笑っていたような。

電車が駅に止まった。

終点だから慌てなくて良いとわかっていたのに、苑絵はつい母との会話に気をとられ、気もそぞろになって、急いで降りようとしてしまった。

プラットフォームと電車の間の隙間が、思っていたより広かった。かさばる荷物のせいもあって、隙間に片足が落ちてしまいそうになってよろけたとき——差し出された手があった。

子どもの手だ。小さいのに力強い手が、苑絵の手を引いて、ホームへ引っぱり上げてくれた。

ふわふわのくせっ毛が肩で揺れる、笑顔の、快活そうな少女がそこにいた。取り落としそうになっていた苑絵の荷物を、よいしょ、と受け取り、近くにあったベンチに乗せてくれた。

『しっかりしなきゃ』

腰に手を当てて笑う。

蟬時雨（せみしぐれ）が、包み込むように響いていた。周囲にある森や林や、そびえている緑の山――あの中腹に桜野町はあるはずだ――で鳴いているのだろう。駅には夏の、生気に溢れた緑と水の匂いが立ちこめていた。

そんな中に、女の子は立ち、いたずらっぽい笑顔を浮かべて、苑絵を見つめていた。

どこかで見たような、知っている女の子だと思った。――そうだ。さっき夢で見た、一面の草原と回る風車の情景の中にいた女の子だ。

ただあの子のように幼くはない。同じく、とても可愛らしいけれど、いま目の前にいるこの子は、小学校高学年くらいだろうか。夢で見たあの子と同じ女の子が、一瞬にして成長してその場に現れた、そんな風に見える。

「えっと、あの、ありがとう……」

苑絵は口ごもり、ただその子の顔を見つめる。視線の高さはさして変わらない。子どもの頃の苑絵に似て、けれどすっきりと背が高く、意志の強そうなまなざしと口元を持つ少女は、にっこりと笑った。

『大丈夫だよ』

「え？」

『「お母さん」は大丈夫。だから落ち着いて。顔を上げて、まっすぐにその道を行けばいいの』

胸の奥がざわめいた。

夢の続きを見ているのだろうかと思った。

（「お母さん」……お母さん、って何？）

（何をこの子はいってるの？）

じゃあまた、とその子は片方の手を挙げて、どこかへさっさと歩み去ろうとした。

「あの――」

とっさに呼び止めようとしたのは、その子が背を向けたとき、自分でも訳がわからないほどに、寂しくなったからだった。

その子は、笑顔で振り返り、いった。

『大丈夫。またきっと会えるから』

「苑絵、苑絵、大丈夫？」

母が、苑絵の肩を叩くようにした。

苑絵は我に返った。

ベンチに置いた荷物を見つめて、苑絵はホームに立ち尽くしていたらしい。

(夢——見てたのかな？　一瞬の夢)

辺りを見回しても、あの女の子はいない。

いやそもそも夢だっただろうから、いるはずもないのだけど。

でも、「いない」ということが自分でも不思議なほど寂しかった。

また会えるから、といったあの声は、幻のように耳の底に残っているけれど。

(熱中症かなあ。寝不足だったたし)

ぼんやりと思いながら、ふと目を上げる。

ちょうど涼しい風が吹き抜けて、吹いてゆくその先で、からからと軽快に回る何かの音がしたからだった。

改札口のそばに、大きな看板が掛かっていた。

『お帰りなさい、桜野町へ』

看板の周りに、美しい花壇が作ってあった。サルビアにカンナにひまわりに、と、色とりどりの夏の花たちが咲き誇るその中に、たくさんの風車が差してあり、くるくると回っていた。


「さ、行きましょ」

　茉莉也が、自分の分と苑絵の分と、ふたり分の荷物を軽々と持ち上げ、改札口に向けて歩いて行く。ここから町のホテルまではタクシーで行きましょうか、とうたうようにいいながら。

「じきに来るバスを待つのも良いけど、上に早く行って、その分ゆっくりしたいし。あなたも一休みしてから本屋さんに行った方が良いでしょう？　お化粧直しもしたいでしょうし」

「――あ、うん」

　慌てて後を追うと、茉莉也が笑っていった。

「さっき、苑絵ちゃんみたいな小さな女の子の夢を見たっていったでしょ？　その子ね、ママのこと、『おばあちゃん』って呼んだのよ。あらま、ちょっと失礼じゃない、って一瞬思ったけど、この子にならそういわれてもいいかな、って思っちゃった。だってとても可愛らしかったんですもの」

　茉莉也は楽しそうに笑う。「またあの子に会いたいな。孫を可愛がるお客様の気持ちが、すっごいわかっちゃった」

　夏のまばゆい日差しの中、苑絵は目が眩むような想いで、改札口に向かう。

　心地よく風は吹きすぎ、風車は回り、蟬時雨が合唱するように降りそそいだ。

〈つづく〉

さよなら校長先生

4 連絡帳　後編

滝羽麻子
Takiwa Asako

息子の淹れてくれたコーヒーは、濃くて熱かった。

「おいしい」

明代が声をもらすと、カオリさんは自分が褒められたかのように顔をほころばせた。

「わたしが淹れるより、断然おいしいんです」

小ぶりのまるいダイニングテーブルを、三人で囲んでいる。そろいの椅子に女ふたりが座り、息子はキッチンから運んできたスツールに腰を下ろした。

「急いじゃだめなんだよ、コーヒーは」

息子がまんざらでもなさそうに言った。カオリさんが首をすくめる。

「わたしには向いてないね」

明代のほうへ向き直り、苦笑まじりに言い添えた。

「せっかちなんです、わたし」

「そう？　落ち着いて見えるのに」

明代が首をかしげていたら、ふたりは顔を見あわせた。

「おれも、最初はそう思ってたんだけど」

息子がぼそりと言い、カオリさんが軽く眉をひそめる。

「けど？」

息の合ったかけあいを聞きながら、お似合いじゃないの、と明代はさっきも思ったことをまた思う。

この間会ったときよりも、ずっと仲睦（なかむつ）まじげだ。べたべたとくっついているわけではないけれど、阿吽（あうん）の呼吸というのか、心が通じあっている気配が伝わってくる。前回は緊張していただけで、おそらくこっちが本来のふたりなのだろう。

家族以外の前でこんなに屈託（くったく）ない顔つきをしている息子を、はじめて見た。というか、明代と一緒にいるときよりも生き生きしている。老いた親より愛しい恋人といるほうが楽しくて当然といえば当然だろうが、ちょっとさびしい気もする。

もっとも、息子が楽しそうにしていると、やはり明代の気持ちも明るくなる。こうしてたまに会って、機嫌（きげん）のいい顔を見られれば、それが一番かもしれない。

一歩ひいて、見守る。

高村先生の教えを、明代はその後もなにかにつけて思い返した。なるべく実践しようと努めてもいた。

まずは自力でできるところまでめいっぱいやらせて、助けを求められたときにだけ手を貸す。あれこれと口を出したくなるのをぐっとこらえ、辛抱強く待つ。よかれと思って助言したとしても、かえって当人のペースを乱してしまっては逆効果になる。そっとしておくのが一番いい。

むろん、頭ではそうわかっていても、言うは易く行うは難い。

それでも、息子が成長するにつれ、しだいに万事がうまく回るようになってきた。息子は知恵と自信を、母親は忍耐力と遠慮を、めいめい身につけた。

子どもによって向き不向きはありそうだけれど、息子にはこのやりかたが合っていた。たとえ時間がかかっても、自分が納得いくまであきらめない。そんな特性を、経験豊富な高村先生はいちはやく見抜いてくれていたのだろう。頼りなげに見える息子の、意外な根気とねばり強さに、明代はひそかに感心させられた。

かくして、内向的でひとり周りから取り残されがちだった少年は、ひとりでも己の道を着実に突き進んでいく自立心旺盛な青年に成長した。

進学先も、就職先も、息子は両親にはなにひとつ相談しないまま、さっさと独断で決めてしまった。東京の大学を受験することも、卒業後も地元には戻ってこずに都内で働くことも、事後報告ですませた。

「おかわりは?」

息子にたずねられて、いつのまにかカップが空になっていることに気づく。

「うん、いただくわ」

「わたしもほしい」

カオリさんも自分のカップを差し出した。

「了解」

息子がスツールから立ってキッチンへ向かう。腰回りが少し太ったかもしれない。幸せ太りというやつだろうか。

息子の決断を、明代は尊重してきた。少なくとも、本人の前ではそうふるまっていた。反対したところで、どのみち耳を貸しやしないのだ。じたばたしても意味がない。心配だとこぼしたり、薄情だとぼやいたりするのは、夫とふたりきりになったときだけと決めていた。

それでよかったのだろう、と唐突に思う。自ら選びとった道を歩んできた息子は、今、見るからに幸福そうだ。

前回までのあらすじ

息子とその恋人が暮らす街を訪れた明代。「同棲するが、籍は入れない」と話す息子たちを心配する明代は、息子の小学生の頃の担任だった高村先生と、先生が書いてくれた連絡帳のことを思い出していた。

二杯目のコーヒーを飲みかけたとき、電子音が鳴った。

息子がポケットを探り、片手でスマホをひっぱり出した。液晶画面を一瞥するなり、顔をしかめる。

「会社?」

カオリさんがたずねた。

「うん。さっき、今日は無理だって断っといたのに」

駅で落ちあったときに電話していたのも、この件だったのだろうか。

「出てあげたら?」

明代は口を挟んだ。一度断られたにもかかわらず、またかけてきたということは、よっぽど困っているのではないか。母親に気を遣ってくれるのはありがたいが、仕事にさしさわりが出ては心苦しい。

「お母さんのことは、気にしないでいいから」

ふたりの住まいも、暮らしぶりも、垣間見ることができた。生まれてはじめて、息子の淹れてくれたコーヒーも飲んだ。もう十二分に満足だ。

今夜の宿は、同窓会の会場近くにおさえてある。なんなら、早めにチェックインして、夕食はひとりで適当にすませてもいい。中高生の頃は毎日通っていた街だから、そこそこ土地勘もある。

「でも」

息子は明代とカオリさんを順繰りに見てから、鳴りやまないスマホに目を戻した。観念したように通話ボタンを押す。

無理しなくていいと明代は言ったが、夕食の時間までには帰ってこられると息子は請けあった。

息子があわただしく出ていった後、残された女ふたりは近所を散歩することにした。さっき話に上っていた神社に参拝してみないかとカオリさんに誘われて、明代も迷わず賛成した。初対面の日に比べれば幾分うちとけてきたとはいえ、部屋で顔を突きあわせていては間が持たないかもしれない。外に出たほうが、お互いに気楽だろう。

マンションを出て、来た道を引き返した。坂を下りきり、商店街を突っ切って、改札口の前も素通りする。跨線橋を渡って駅舎の反対側に抜けると、道の先に立派な鳥居がそびえていた。

「ツトムさん、電車が好きなんですよね？」

橋の途中で線路を見下ろしながら、カオリさんが言った。

「うちからも、線路がちらっと見えるんですよ」

引っ越した直後、息子がベランダに出たきりいつまで経っても部屋の中へ戻ってこないので、何事かとカオリさんはいぶかしんだらしい。

「なにしてるのって聞いたら、電車を見てる、って。この路線のこととか、細かく説明してくれるんですけど、正直わたしにはあんまりよくわからなくて」

「あの子、電車の話になると、とまらないでしょう」

「はい。最初はちょっとびっくりしちゃいました」

カオリさんの返答には実感がこもっていた。我知らず、明代は微笑んでいた。あんなに大きくなっても、そういうところは子どものときと変わっていないのだ。

ふと思い出して、口を開く。

「小一のときに、ツトムに仲よしのお友達ができてね」

一学期も終わりに近づき、小学校にもだいぶ慣れてきた頃合だった。

一年一組のクラスメイトに、息子に負けないくらいの電車好きがいたのだ。同じ町内に住んでいて、放課後や休日にそれぞれの家を行き来したり、外で遊んだりするようになった。学校からも程近い、河川敷にある公園が、ふたりのお気に入りだった。川にかかった鉄橋をゆきかう電車を、心ゆくまで眺められるのだ。

最初のうちは、友達の家や公園まで明代が毎回送り迎えをしていたが、夏休みに入ったあたりから息子ひとりで行かせるようになった。どちらも徒歩で数分の距離だし、道中で特に危険な場所もない。息子の友達も、公園で見かける小学生たちも、子どもどうしで出歩いていた。親がべったりとくっついていたら、息子も肩身が狭いかもしれない。実際、明代が「お母さんがついていかなくても平気？」と持ちかけてみると、息子は勇んでうなずいた。

そのかわり、危ないことはしないようにと外出前にはしつこく言い聞かせた。車に気をつけるように、水には入らないように、それから、知らないおとなにも注意するように。もともと人並み以上に警戒心の強い子だから、見ず知らずの他人にふらふらとついていってしまうようなことはまずないだろうけれど、念には念を入れたほうがいい。

事件が起きたのは、夏休みも残りわずかとなった八月末のことだった。

その日も息子は友達と会う約束をしていた。昼食をすませるなり、いそいそと河川敷の公園に出かけていった。息子を送り出して一息ついてから、明代は車で夕食の買い出しに行った。

家に帰ると、留守番電話に伝言が入っていた。

息子と遊んでいるはずの友達の、母親からだった。うちの子が出がけに転んで足をひねってしまった、これから病院に連れていく、急で申し訳ないが今日は一緒に遊べなくなった、というような内容が、焦りをにじませた早口で吹きこまれていた。

当時はまだ、携帯電話がそこまで一般的ではなかった。少なくとも、明代のような専業主婦の間では、持っているひとのほうが珍しかった。親どうしの連絡には、もっぱら自宅の固定電話が使われていた。携帯電話を持たされている小学生も、明代の知る限りではめったにいなかった。息子もまた例外ではなかった。

事の次第を息子に伝えるためには、河川敷まで行くしかなかった。

息子が出かけてから、すでに一時間近く経っている。家に帰ってこないということは、まだ友達を待っているのか、それとも公園にいた他の子とでも遊んでいるのだろうか。いずれにせよ、早く事情を知らせてやったほうがいい。

暑さのせいか、平日の中途半端な時間帯のせいか、川沿いの遊歩道に人影はまばらだった。急ぎ足で歩いたら、公園までたどり着いたときにはすっかり汗だくになってしまっていた。

ここも、いつになく閑散(かんさん)としていた。遊具で子どもが何人か遊んでいるけれど、息子の姿は見あたらない。すれ違いになってしまったのだろうか。それなら家で待っていればよかった。

がっかりしつつも、明代は未練がましく公園の中に足を踏み入れた。もう一度、ざっと周囲を見回してみたところで、奥のベンチに目がとまった。

ぎょっとした。

入口のところから見たときにも、視界には入っていたものの、注意はひかれなかった。ベンチに腰かけているのがおとなだったからだ。その男の陰になって、隣に座ったもうひとりの姿を見落としてしまっていた。

息子は足をぶらぶら揺らしながら、見知らぬ男になにやら熱心に話しかけていた。

「ツトム！」

自分でも驚くほど、大きな声が出た。ほとんど悲鳴だった。

息子と男が同時にこちらへ顔を向けた。そのときにはもう、明代は走り出していた。ベンチまで全速力で駆け寄ると、おびえたように目を見開いている息子の腕をひっつかんで立たせ、肩を抱きかかえた。

「なにしてるの？」

息子は体をこわばらせたまま、なんとも答えない。

「あの、一緒に、電車を……」

男が明代と息子を見比べて、しどろもどろに言った。

明代は男を見下ろした。遠目に見たときの印象よりも若いようだった。二十歳前後だろうか。部屋着のようなだらしない格好で、ぼさぼさの髪に無精（ぶしょう）ひげを生やしている。肌は生白く、ぶよぶよと太っていて、いかにも不健康そうだ。

明代が無言でにらみつけると、男はおどおどと目をふせた。

「帰りましょう」

明代は息子の手をひっぱって歩き出した。公園を出たところで肩越しに振り向いたら、男はまだ同じ姿勢でうなだれていた。

そこではじめて、足が震えてきた。それまでは無我夢中で、恐怖を感じる余裕すらなかった。

「知らないひととは話しちゃだめって、いつも言ってるでしょう?」

息子は聞きわけのいい子だった。あれほど感情的にしかりつけたことは、後にも先にもない。

「もしツトムになにかあったら、お母さんは……」

生きていけない、と続けそうになって、危うく踏みとどまった。幼い子どもにぶつけるには重すぎるせりふを、かろうじて言い換えた。

「お母さんは、悲しい」

母親の取り乱しぶりに、息子は困惑しているふうだった。事の深刻さにぴんときていないらしい。

「ごめんなさい。でも」

おずおずと言い訳しようとするのをさえぎって、明代は念を押した。

「お願いだから、二度とこういうことはしないで」

叱責というより、懇願に近かった。

今後あの公園には行かないように、と息子に約束させた。今後、知らないおとなとは絶対に話をしないように、とも。

数日後に二学期がはじまった。明代は一部始終を学校にも報告した。他の子どもたちのためにも、注意喚起してもらったほうがいいだろう。


巨大な鳥居をくぐって、参道を進む。鬱蒼と茂った木立に囲まれた砂利道を、観光客らしき人々がぞろぞろと歩いていく。外国人も多い。

「そんなことがあったんですね」

明代のとりとめもない昔話に、カオリさんは興味深げに耳を傾けてくれた。

「全然、知らなかった」

低いつぶやきが、どことなくさびしそうに聞こえた。寡黙な息子は例によって、あまり自分のことを話していないのだろうか。明代はもう慣れてしまっているが、恋人にとっては物足りないのかもしれない。

「あの子も、もう忘れてるかもしれない。昔のことだし」

とりなそうとしたばかりではなかった。実際、あのときはあんなことがあった、と思い出話を息子に振ってみても、たいがい「忘れた」と面倒くさそうに流されてしまって、つまらない。明代や夫の胸には大切な記憶として刻みこまれていても、本人には思い入れがないようだ。

わが子がまだ幼く、全身全霊で自分たちを必要としていた時代を、とかく親はなつかしみたがる。かわいかったと褒めそやされたところで、当人にしてみれば非力で未熟だったと言われているようなもので、今さら蒸し返されても面映ゆくわずらわしいだけなのかもしれない。

「でもよかったですね、大事にならなくてすんで」

「それはそうなんだけど」

明代は口ごもった。大事には至らなかったのだけれど、この話にはまだ続きがある。カオリさんが首をかしげた。

「これで一件落着じゃなかったんですか？」

一件落着だ、と明代も当初は考えていた。その半月後に、高村先生から電話をもらうまでは。

「先日の件ですが」

おもむろに切り出されて、身構えた。とっさに、あの男がなにかしでかしたのではないかと危惧したのだ。

ところが先生の用件は、思いもよらないものだった。

　二学期がはじまって早々に、明代から連絡を受けた先生は、不審者に注意するようにとあらためて教室で周知してくれたそうだ。息子の名前は出さなかったものの、当人は自分の話だとわかったようで、きまり悪そうに聞いていたという。

　その日の昼休みに、先生は息子に話しかけられた。

「お兄さんに謝りたい、って言うんです」

　明代は耳を疑った。

「お兄さんって、あの、公園にいた男性のことですか」

　動揺したせいで、聞かずもがなのことを聞いてしまった。「はい。わたしも驚きました」と先生は言葉とはうらはらに冷静に答えた。

「それで、ツトムくんに詳しく事情を聞いてみたんです」

　先生が聞き出したところによれば、息子が「お兄さん」と話すのはあの日がはじめてではなかったらしい。

「ご存知でしたか？」

「いえ」

　明代はどうにか声をしぼり出した。混乱のあまり頭がくらくらしていた。そんなこと、聞いていない。息子は話してくれなかった。わたしには。

　どうして、と胸の内で自問しながら、受話器を握りしめた。

わかりきったことだ。明代が聞く耳を持たなかったからに違いない。あの後、息子はなにか言いたげだった。それなのに、明代は一方的にしかりつけて、息子に弁解させてやらなかった。

「友達も一緒に、たまにお喋(しゃべ)りする仲だったらしいです。三人とも電車が好きだから、話が合ったみたいで」

息子にとって「お兄さん」は、物知りで頼りになる先輩とでもいうべき存在だったようだ。

だから、自分が母親の言いつけにそむいたせいで、彼が悪者扱いされてしまったのを気に病んでいた。しかし、あの公園には行かないと約束してしまったからには、彼と会うすべはない。

「どうしたらいいかと相談されまして」

先生は言う。

「それで、お手紙を書いてみたらいいんじゃないかってすすめたんです。先生が届けてあげるから、って」

息子はその提案に飛びついた。

先生は息子が書いた手紙を預かった。実際に渡すかどうかは、相手に会ってみて、どんな人物なのか見定めた上で判断するつもりだったそうだ。どのみち、近いうちに現地を視察しようという心づもりでいた。問題があるようなら、しかるべき対策を講じなければならない。

先生は手紙を携えて、河川敷の公園に足を運んだ。息子から聞いていたとおりの特徴を備えた男が、ベンチに座っていた。

「びっくりしましたよ」

先生の声に笑みがまじった。

「彼、わたしの教え子だったんです」

大学入試に失敗し、現在は浪人生活を送っているという。

「おうちがすぐそばで、受験勉強の息抜きに、ときどき電車を眺めに行くんですって。そういえば、小学生のときから電車に目がなかったんですよね」

ぱったり公園に姿を見せなくなった少年のことを、向こうも気にしていた。母親の剣幕からして、こっぴどく怒られたのではないかと案じていたのだろう。自分から挨拶して、ちゃんと釈明すべきだったのに、あたふたして挙動不審になってしまったとしょげていたらしい。

「彼は昔から、なんというか、ちょっと不器用なところがありまして。知らない相手とコミュニケーションをとるのも得意なほうではなくて。本人も、配慮が足りなかったと反省していました」

再びきまじめな口ぶりに戻って、先生は続けた。

「わたしからも、お詫(わ)び申し上げます。ご心配をおかけしてしまって、本当に申し訳ありませんでした」

丁重に謝られ、明代はかえって恐縮してしまった。

「こちらこそ、すみませんでした。事情も知らずに、誤解してしまって」

親切に子どもの相手をしてもらって、お礼のひとつも言うべきところなのに、怪しい輩(やから)だとはなから決めてかかってしまっていた。ものすごい形相でにらみつけて、さぞたじろがせたことだろう。

「いえいえ、親御さんが心配なさるのは当然のことです」

先生はきびきびと言った。

「お子さんを守るために、正しい行動をなさったと思います。なにかあってからでは遅いですから」

本殿の周辺も、参拝客でひときわにぎわっていた。拝殿(はいでん)の前には行列ができている。

「そういえば」

最後尾についたカオリさんが、思いついたように言った。

「いつだったか、ツトムさんが言ってました。電車好きに悪人はいない、って」

後日、高村先生が届けてくれた息子の手紙に、返事が送られてきた。小学校宛てに郵送されたその葉書は、先生の手を経て息子に渡された。

〈お元気ですか。手紙をどうもありがとう。とてもうれしかったです。また一緒に電車を見たり、話したりできたらいいなと思っています〉

癖のある字で綴られた文面を、明代も読んだ。

息子が葉書を見せてくれたのだ。自分の言葉で「お兄さん」のことを説明するように、先生にすすめられたらしかった。

「お兄さんはいいひとだよ。電車のこと、いろいろ教えてくれるんだ」

息子は懸命に訴(うった)えた。

葉書に書かれた素朴(そぼく)な文章からも、彼の人柄はうかがえた。気は小さいんですけど、優しくて、子どもを危ない目に遭わせるようなことはないはずです、と先生も電話で話していた。息子たちにもそれは伝わっていたのだろう。だからこそ、年齢を超えて仲よくなれたのだ。

「お母さんが勘違いしちゃって、ごめんね」

明代があらためて詫びると、息子はほっとしたように表情をゆるめた。

「お母さん、もう怒ってない？」

先生に電話をもらった後にも一度話したのだが、まだ安心しきれていなかったらしい。もちろん、と明代は大きくうなずいた。

「お母さんが悪かった。ツトムの話を、もっとしっかり聞くべきだったよ」

「僕、話をするの、下手だから」

息子はもじもじしながら言った。

「だけど、がんばれって高村先生に言われたの。伝えないと伝わらないよって。お母さんはきっとわかってくれるはずだから、大丈夫だって」

「そっか。話してくれて、ありがとうね」

照れくさそうな息子を、明代は思わず抱きしめた。

「お手紙は、便利だね」

くぐもった息子の声が、胸もとから響いてきた。

「口で喋ってると、なんて言ったらいいか、途中でわかんなくなっちゃうでしょ。でも手紙だったら、ゆっくり考えられる。思ってることを、書けるんだよ」

このことも、息子に話せば「忘れた」とすげなく一蹴（いっしゅう）されてしまうのかもしれない。まあいい、と明代は思う。わたしが覚えているから、かまわない。

息子のそのひとことがきっかけで、明代は高村先生に礼状を書こうと考えついた。三学期の終業日、一年の感謝をしたためた手紙を息子にことづけた。

新学期がはじまってしばらく経った頃に、先生から返信をもらった。連絡帳で見慣れたあのきちょうめんな字で、手紙の礼と返事が遅くなった謝罪が綴られ、簡単な近況も添えてあった。先生が転勤になったことは、すでに息子からも聞いていた。市の北部にある学校で教頭に就任したという。

　終盤に書かれていた一文が、とりわけ印象に残っている。

〈わたしも自分の娘に対しては、いまだに試行錯誤の連続です〉

　いったいどういう文脈だったのか、今となっては定かではないけれど、そう記されていた。

　虚（きょ）をつかれ、何度か読み返した。あの泰然とした高村先生に、「試行錯誤」という四字熟語はどうにも不似合いだった。先生はいつだって万能で、子どもの心に寄り添い、問題が起きてもあわてず騒がず、首尾よく解決に導いてくれる。まさに息子に対して、そうしてくれたように。

　そもそも、高村先生に子どもがいることを、明代ははじめて知った。息子の担任をしてくれていた一年間、先生が私生活について口にすることは一切なかった。左手の薬指にはまっている指輪で、既婚だろうと推測できる程度だった。

　娘の存在を明かされたのは、少しばかり気を許してもらえた証のようにも思えて、なんだかうれしかった。同じ母親として、素直な実感にふれられたような気もした。あんなに完璧そうな先生でも、実の娘となると勝手が違うのだろうか。それとも、明代を励（はげ）ましてくれようとして、幾分おおげさに書いただけだろうか。

明代自身の試行錯誤も、まだまだ続いていた。それから何年もの間、明代は息子が一年生だったときの連絡帳を手もとに置いていた。育児にまつわる悩みや不安が持ちあがるたびに、ページをめくった。一年一組での奮闘をたどり、めざましい成長ぶりを振り返った。端正な赤ペンの文字を目で追うだけでも、心が鎮まった。

あの連絡帳を、最後に読み返したのはいつだっただろう。ずいぶんと長く手にとっていない。捨ててはいないはずだけれど、どこにしまったかが定かでない。明日、家に帰ったら探してみよう。

参拝の列は一歩ずつ、じわじわと前へ進んでいく。

「どうしたの？」

カオリさんがきょろきょろと左右を見回しているのに気づき、明代はたずねた。見かけによらずせっかちだという話を思い出し、待たされて気が急いてしまっているのかとも思ったが、

「音楽が」

と、カオリさんは腑に落ちない表情で答えた。

「太鼓みたいな音が聞こえませんか？」

明代も耳をすましてみた。言われてみれば、人々のざわめきにまぎれて、重々しい音色がどこからか響いてくる。打楽器だろうか。太鼓か、銅鑼のようなものかも

しれない。カオリさんにならって、ぐるりと境内を見渡してみたものの、それらしい楽器はどこにも見あたらない。

「本殿の奥で、なにかやってるのかもしれないですね」

「ああ、なるほど」

言いかわしているうちに、順番が回ってきた。賽銭(さいせん)箱に小銭を投げ入れ、柏手(かしわで)を打って目をつむる。

神社での願いごとは、いつも決まっている。家族が健康で、幸せに過ごせますように。心の中で唱えつつ、これまたいつものように、明代は夫と息子の顔を思い浮かべた。それからもうひとり、新たな顔も加えてみる。

まぶたをそっと開けて、隣をうかがった。手を合わせるカオリさんの横顔に、答えあわせのように視線をすべらせる。


広い境内には、庭園や宝物殿(ほうもつでん)など、本殿以外にも見どころがあるらしい。カオリさんとふたり、次はどこを見ようかと案内板の地図を眺めていたら、不意に背後でどよめきが起こった。

振り向くと、拝殿の脇にのびている廻廊(かいろう)を通って、雅(みやび)やかな行列が外へ出てくるところだった。

まるで時代劇から抜け出てきたかのような、烏帽子に着物をまとった神職と、鮮やかな朱色の袴をはいた巫女たちに先導されて、白無垢を身にまとった花嫁と羽織袴の花婿がしずしずと歩いてくる。

結婚式だ。

新郎新婦の後ろをついていく二組の男女は、両親だろうか。明代と同年輩に見える。父親ふたりは黒いモーニング、母親たちは留め袖を着ている。招待客と思しき一団もその後に続く。こちらも和洋入りまじった盛装だ。

しかしなんといっても、主役は花嫁だった。頭にかぶった純白の綿帽子が、すがすがしい秋の陽光を受けて輝いている。一行のために道を空けた一般の参拝客も、しきりにカメラを向けている。

明代も思わず感嘆の声を上げた。

「きれいね」

口にしたそばから、しまった、とひやりとした。なんの含みも他意もなく、自然にもれた感想だったけれど、カオリさんをいやな気分にさせてしまったかもしれない。

こっそり横を盗み見る。カオリさんも、まぶしげに目を細めていた。

「きれいですね」

穏やかな声音だった。

どう相槌（あいづち）を打とうか、明代はつかのま迷った。このまま会話を続けていいものか、それとも話題を変えるべきだろうか。

不自然な間をいぶかってか、カオリさんがこちらに首をめぐらせた。明代の顔を見てなにやら合点したようで、いたずらっぽい笑みを浮かべる。

「もしかして、わたしに気を遣って下さってるんですか」

「いえ、あの、そういうわけじゃ」

図星をさされ、明代はどぎまぎして言いつくろった。

「ありがとうございます。でも、大丈夫です」

カオリさんがゆったりと微笑んで、再び行列のほうに目を向けた。本当にきれい、とうれしそうに言う。

「自分でもびっくりです。誰かの結婚式を見て、こんなふうに思えるなんて」

またしても返答に窮（きゅう）している明代にはかまわず、半ばひとりごとのように続ける。

「一生ひとりで生きていこうって決めてたのに。また誰かと一緒に暮らしたいって思うようになるなんて、うそみたい」

あふれる陽ざしを浴びて、行列は粛々（しゅくしゅく）と進んでいく。清らかな光に照らされた花嫁たちの行進を、明代はカオリさんと肩を並べて見守った。


〈つづく〉

彼女は逃げ切れなかった　第七回

誰ひとり戻り切れなかった

［前編］

西澤保彦
Nishizawa Yasuhiko

「よもつへぐい、って言葉があるでしょ。伝承っつうのか。ね。聞いたことない？」

　カウンターに頬杖をついている、煉瓦色のツーブロックと銀色のピアスのその血色の良い童顔の男性。二十代後半くらいか。いつ如何なるときにも他者の視線を意識するのが癖になっているかのような仕種で、シャンパングラスを眼の高さに掲げてみせた。

「黄色い泉と書く黄泉の国ってのは知ってるでしょ。そう。死者が住んでいるあの世のことね。ヨモツクニとも言って、よもつへぐいはそこから来てんのかな。こう書く」と『黄泉竈喰ひ』の漢字を説明する。「意味は、黄泉の国の竈で煮炊きしたものを食べること、なんだってさ。するとそいつはもう、なにをどうしようとも、この世へは二度と戻ってこられなくなっちまう、という」

「古事記でしたっけ。カグツチという火の神を産んだ際に火傷を負って死んだイザナミノミコトを、夫のイザナギノミコトが冥界まで赴き、連れ戻そうとする。けれどもイザナミノミコトはすでに死者の国の食べ物を口にしてしまっていて、そのため彼女を連れてかえることは叶わなかった、という？」

　久志本刻子は厨房での作業の手を止めず、ストゥールに腰掛けた小太りの男性客に、そつなく微笑みかけた。「あとギリシャ神話で冥界の王ハデスと冥府の石榴を食べてしまったペルセポネの話とか。海外にもそういう、死者の国のものを食べてしまったがために現世へ戻ってこられなくなるという物語の類例は、いくつかあるようですね」

「そう。そうそ。それそれ。へーえ。ママさんて意外に教養がありそう」ほぼ確実に自分の母親と同世代のはずの刻子に向かって無邪気なタメ口で、けらけら笑う。

「厳密な意味は別としても、なんだか妖しい語感だよね、よもつへぐい、って。そうは思わない？　不穏な空気を醸すっつうか、少なくとも日常生活ではあまり耳馴染みの無い響きで。あくまでも個人の感想でーす、だけど。いずれにしろ、なにを考えていたんだろうなあ、とは思っちゃう。わざわざこんな因果な名前を孫に付けなくても、って。あ。おれのこの名前、祖父ちゃんが考えたんだそうだ」

「でも下のお名前は、たしかヨモツグさん、とおっしゃいましたよね？　だったら、へぐい、とは全然」

　たったいま自己紹介したばかりの若い男性客のフルネームは『竹俣与文継』と書くらしい。「うん、ちょっとちがうことはちがうけど。似てるでしょ、すごく。紛らわしい。十人いたらそのうち三人は確実に、おれの名前を聞いて、黄泉竈喰いを連想するんじゃありませんかね、ってくらい」

「三割ですか。それって多いのかそれとも少ないのか、ちょっとよく判らない」

「当社比。あくまでも当社比の数字。ママさんみたいに教養のある女性ほど実は密かに、おれのことを危険なオトコだわ、って警戒してたりして。うっかり遊びのつもりで摘み喰いなんかした日にはもう二度と元の身体へは戻れなくなっちゃうかもん、なーんて」

　あははは、と屈託なく笑う。そんな与文継氏の傍らに、わたしは「失礼します」と歩み寄った。「どうぞ」と刻子が用意したアペリティフの皿を彼の手許に置く。

「ホタテとダイコンのマリネでございます」

「どうもありが。ん。おや？」

　小首を傾げた与文継氏は怪訝そうに、わたしの顔から、奥のテーブルのほうへと視線を移した。そこには油布(ゆふ)みをりと、しえりが互いに向かい合って座っている。姉のみをりはモスグリーンの、妹のしえりはマゼンタの、色ちがいでデザインがお揃(そろ)いのニットのベスト姿。そんな双子姉妹、そしてわたしを与文継氏は、きょときょと改めて見比べた。

「あれ。お店のひとなの、おばさん？　てっきりお孫さんたちといっしょにご飯を食べにきてるお客さんか、とばかり」

なにしろ当方、いましがた油布姉妹を連れて、先客の彼を後追いする恰好(かっこう)で入店したばかり。与文継氏ならずとも、そんなふうに思うのがむしろ当然だろう。「いえいえ」と感染防止用マスク越しにもそれと判別できるであろうくらい満面の愛想笑いを、わたしは浮かべてみせた。「ご家族の方に頼まれて、はい。お嬢さんたちの送り迎えをさせていただいております。こんな時間帯ですから。はい。小さなお子さまたちだけで外出するというのはなにかと不用心なので。はい」

もっともらしく言い繕(つくろ)うが実情は、ついさきほど刻子から『この前、みをりちゃんが気にしていたあの若い男のお客さん、いま来ているよ。今回は、ひとりで』と、こっそりＬＩＮＥで教えてもらったからである。その時点ですでに午後八時を回っていたため、小学生である油布姉妹を事前の約束も無しに呼び出したりしてだいじょうぶなのか微妙だったが。わたしから電話を受けたみをりは即行、妹のしえりを引きずらんばかりにして、自宅マンション〈メゾン・ド・ハイド〉から我が家へやってきた。

位置的にはすぐお隣りの敷地とはいえ、まだ十一歳の少女たちが、はたしてどんな巧妙な口実をもって、まんまと夜間外出に漕ぎ着けたのか。あるいはたまたま母親の珠希さんが不在とかで、わりとすんなり出てこられたのか、その辺の詳細はさて措き。こうして三人揃って急遽〈KUSHIMOTO〉へと駈けつけてきた次第。

「保護者の代わりに？　へーえ。そんなサービスもやってんの、このお店って」

「はい。あのう、それで。つきましては、ですね。ときおり店内を撮影させていただいても、だいじょうぶでしょうか？」

「はいぃ？」と眉をひそめた与文継氏、再びわたしの顔と、その背後に居る油布姉妹とを露骨に胡散臭げに見比べた。そんな彼に向かってみをりがすかさず自分のスマートフォンを掲げてみせたものだから、ますます戸惑ったようだ。「店内を撮影。えと。それはつまり、その際、おれもいっしょに写り込んじゃうかもしれないのでご了承いただけますでしょうか、とか。そういう意味？　コンプラ的にOKかい？　みたいな」

「おっしゃるとおりです。はい。つきましては、ですね。一度だけではなく、何回かに分けて撮ることになりそうなので。いろいろお眼障り、お耳障りかもしれませんが、なにとぞご寛恕いただけると。はい」

「でもなんで？　こんな、なんの変哲もない店内をわざわざ撮って、それをあの娘、どうしたいの。インスタかなにか？　それともティックトック？」

「いえいえ、そういうSNS関連とかでは、まったくなくて。はい。学校の自由研究なんだそうです。いまつけている日記に、食事風景の画像を添えたいのだとか」

　ふうん、と一応頷きはしたものの与文継氏は胡乱な眼つきのまま。ま、そりゃそうでしょ。今日は二〇二三年一月七日、土曜日。翌々日の成人の日を過ぎれば三学期が始まろうという、冬休み終盤である。そんな時期に小学生が自由研究？　普通はそれ、夏休みの風物詩でしょ？　と、わたしでもここは、そうツッコミを入れたくなるところだ。

　とはいえ自由研究という課題を冬休みに出す小学校なぞこの世に絶対存在しない、とまでは誰にも断じ切れないこともたしかなわけで。はたして己れの常識と一般社会通念との齟齬とは如何ほどのものなのやら、とか思案しているふうの与文継氏だったが。

　ふいに、みをりが立ち上がった。外していたマスクを付けなおしながらとことこ、こちらへ歩み寄ってくるや、ぺこりと神妙にお辞儀。少女のその礼儀正しさに与文継氏、いたく自尊心をくすぐられたご様子。「あ、いいよ。いいよもちろん。うん。別に気にしなくても。どうぞご自由に」

彼は、もうあれから二ヶ月ほど経っているので当然かもしれないけれど、自分がすでに一度この店でわたしと双子姉妹とに遭遇済みであると、どうやらまったく思い当たっていないらしい。ついでにその際、こちらを「ばあば」呼ばわりしたことも含めて。「何枚でも、お嬢ちゃんの気の済むまで。ただし、おれが写り込む構図のやつはちゃんと、これこのとおり、本物と同じく、かっこよく撮ってね。後で、しっかりチェックさせてもらうからさ。なーんちゃって。あははは」

お箸でホタテのマリネを口へ放り込み、スパークリングワインを呷る。そんなご機嫌な与文継氏だが、よもや夢にも思うまい。彼がみをりに撮影を許諾したのは自分の外見ではなく、内面のほうである、などとは。

＊

ここで一旦、時計を少し過去へ巻き戻させていただこう。あれは昨年、二〇二二年。といっても、十一月六日の日曜日だったので、年を跨いではいるものの、ほんの二ヶ月ほど前の出来事なのだが。

　この前月のハロウィン・ディナーへのアテンドが縁で知り合ったばかりの油布みをりとしえり姉妹を連れてわたしは、友人の久志本刻子が経営する洋風居酒屋〈ＫＵＳＨＩＭＯＴＯ〉へ赴いた。前回に引き続き双子の多忙な母親、珠希さんに代わって、彼女たちの夕食に付き添うためである。

　午後六時。営業開始したばかりの店内に、まだ他の客の姿は無い。透明アクリルのパーティションで仕切られ、〈予約席〉のプレートが置かれた四人掛けのテーブルの傍らでコートを脱いでいると、厨房から出てきた刻子が、そっと手招きしてくる。その表情が、いつになく複雑そうなのが、感染防止用マスク越しにも見て取れた。

「……食事が終わってからにしたほうがいいかな、とも迷ったんだけど」と刻子はＢ５判サイズの封筒を、そっと手渡してきた。切手に消印が捺(お)された表書きの住所は〈ＫＵＳＨＩＭＯＴＯ〉気付だが、宛名がわたし、すなわち『纐纈古都乃(こうけつことの)様』となっている。封筒を引っくり返してみるとそこには、神奈川県川崎(かわさき)市の住所とともに、差出人の名前が記されていた……『舟渡宗也(ふなどそうや)』と。

「中味がなんなのかは、もちろん知らないけど」どう反応したものやら困惑し切っているわたしをフォローするかのように、刻子は努めて軽い趣きで肩を竦(すく)めてみせた。「さわってみた感じ、ワンサイズ小さめの別の封筒が入っている、っぽい」

「別の……って。え。ひょっとして、孝美（たかみ）からの？　私信かなにか、ってこと？」

刻子が頷いて寄越すまでもない。舟渡宗也がわざわざわたし宛てに送付してくる以上、それは藤永（ふじなが）孝美に関連するもの以外、考えられないわけだが。しかし。

「孝美から、わたしへの手紙？　え。でも、そんなことって……」

あり得るの？　思わずそう続けそうになった声を呑（の）み下した。刻子とわたしの共通の旧友である藤永孝美の訃報が届いたのはこの前々月のこと。彼女はたしか心不全による急死で、特になにか闘病中だったという話は聞いていない。なのに、通常の遺言状ならばまだしも、あらかじめ特定の知人に宛てて遺書の類（たぐ）いをしたためておかなければならない理由でもあったのか。例えば己れの死の予兆を感じ取っていたとか？　などと、つい無駄にドラマティックな深読みをしがちな心情が「そんなことって、あり得るの？」という科白（せりふ）として吐露（とろ）されかけたわけだが。

実情は多分、もっとシンプルなはず。単にわたしへの私信を準備していた孝美が投函直前に不慮の死を遂げた。それを彼女と同居していた舟渡宗也が遺品整理の際に見つけて、こうしてわたしへ送ってきてくれた。そういう経緯なのだろう。おかしなことはなにも無い。なにも無い……のだが。

「ま。開けてみないことにはなんとも、ね。ほんとに孝美から古都乃への手紙なのかどうかも。あ。いらっしゃいませ」

カウベルが鳴って、男女ふたり連れの客が入ってきた。女性のほうは「こんばんは、久志本さん」と刻子とは顔馴染みのようで、マスクを外すついでに伏し拝むようなポーズをくり返す。「急にごめんなさい。今日はふたり、なんだよね。だいじょうぶかしら。カウンターでもかまわないけど」

「いえいえ、だいじょうぶですよ。どうぞ、カホさん、そちらのお席へ」

にこやかに掌（てのひら）を上向けてみせる刻子が言い終えぬうちに、推定年齢三十前後のカホ嬢を差し置く恰好で、連れの若い男性客のほうが先に、さっさと空いているテーブルへとおさまった。かと思うや隣りの席の、みをりとしえりに「おやおや、これはこれは。お嬢ちゃんたち」と馴れなれしく声をかける。「だめだよお。んー、だめだめん。そんな、小さなお子さまたちだけで夜遊びなんて」

その刹那（せつな）。それぞれモスグリーンとマゼンタのマスクを装着したまま互いのおでこを触れ合わんばかりにひそひそ、なにやら楽しげなお喋りに夢中だったとおぼしき双子姉妹は動画のストップモーションさながら、ふたり同時かつ鏡像もかくやなほぼ同姿勢で停止モードに入った。そして四つのつぶらな瞳の部分のみ、無音の切り抜きショットさながら、まるで連動しているかの如（ごと）く、ぐるりんと機械的に横へスライドしてくる。

マスクによる威圧感も多少は加味されていただろうとはいえ、彼女たちのその場ちがいなほど高硬度鋼的な反応が、あるいは自分の想像と懸け離れていたせいだろうか。煉瓦色のツーブロックに銀色のピアスの若い男性客は、にやけた表情こそ保っていたものの、がっつり己れにロックオンされた双子姉妹の曇り（くも）の無い眼光に少々のけぞり気味。

仮に彼女たちがマスクを外していればあるいは、その表情が年齢相応にあどけなく、ただ単に、きょとんとしているだけであると、ちゃんと見て取れていたかもしれない。が、先刻の自分の軽口をどう回収すればスマートにこの場を収められるか、その打開策にひたすら腐心しているとおぼしき眼の動きは挙動不審なばかりにせわしなく、そこまでの心の余裕は到底望めそうにない。

そんな彼にとって、双方のあいだに割って入るかたちで歩み寄ってきたわたしの姿は救世主も同然に映ったようで。「おっと。な、なあんだ。ばあばがちゃんと、いっしょに来てくれているんじゃん。うんうん。そりゃそうか。よかったよかった」

まあたしかに。みをりとしえりが当方にとって孫の世代なのはまちがいないんだから。たとえ見ず知らずの赤の他人からの放言であろうと「ばあば」呼ばわりには敢（あ）えて異議の唱えようもない。そう重々わきまえつつも、普段ならば一応しっかり、カチンと引っかかって然るべきはずのわたしはいま、そんな気力は全然湧（わ）いてこなかった。

「……どうしたの、ことさん」

　そう問いかけられて我に返るまで、さて、わたしはいったい何度、舟渡宗也からの郵便封筒を矯めつ眇めつ、引っくり返しては眺め回していたのだろうか。俯き加減の姿勢のまま、そっと眼線を上げると向かいの席から、みをりの双眸が穏やかで温かな色を帯びて、こちらを覗き込んでくる。

「そんな、しんどそうなお手紙なら、むりに開けなくても、いいんじゃないですか？」

　虚を衝かれ、言葉に詰まっていると、しえりも横から腕にぶら下がらんばかりにして、わたしの手許を覗き込んできた。「フネワタリ、ムネナリさん？　って誰？ことさんの元カレ？」

　フナドソウヤだと訂正すべきか否か、そこそこ真剣に検討している己れに気づき、思わず噴き出しそうになった。加えて「元カレ」というのもまったくの的外れではあるんだけれども、なんだか変に鋭いような気もして、可笑しくなってくる。曰く言い難い慈愛の念に包まれた頭の片隅で、ふと唐突に、柳緑花紅という四文字熟語が浮かんだ。多分みをりの緑と、しえりの赤の、それぞれのパーソナルカラーゆえの連想だったのだろうが、このときはその意味をきちんと憶い出せぬまま。

「じゃなくて。これは、わたしの友だちの旦那さんだったひと」

ふと「だった」と無意識に過去形を使う己れに後ろめたさを覚えた。孝美が故人である以上さほど不適切だとも言えないのに、なんだか無駄に他意を感じ、自己嫌悪に陥る。それを瞬時に払拭してしまいたい、との衝動にでも駆られてか、わたしは封筒を、びりりと些か不作法に開けた。

なかから、もう一通、別の白い封筒が現れた。クリップで『前略　纐纈古都乃様』と記された短冊のメモが留められている。

『先日は藤永孝美へのご高配、まことにありがとうございました。藤永のエンディングノートに、同封の私信が挟まれていることに気がつくのが遅くなり、たいへん申し訳ありません。彼女の死後、纐纈様へ送付して欲しい由、自筆で記されておりましたので、どうかよろしくご査収ください。取り急ぎの用件のみにて失礼致します。舟渡宗也拝』

打ちひしがれるあまり、というと我ながら大袈裟かもしれない。が、『古都乃へ』と見覚えのある孝美の筆跡で宛名書きされた白い封筒を手に取ったわたしはかなり惨めったらしいご面相を曝し、硬直していたようだ。

「ことさん。ね。それ、どこかに仕舞っておけばいいんじゃないかな」みをりはテーブルに肘をついた両掌に顎を載せ、こちらへ身を乗り出してくる。「普段は眼につかないところに、しばらくのあいだ」

「しばらくのあいだ、って。どれくらいのあいだ？」しえりがわたしの代わりに、真面目くさって姉に訊く。「だいいち、眼につかないところって、どこ」

「どこでもいいの。とにかく普段は滅多に開けない引き出しのなか、とかに。当分のあいだ。そこに仕舞ったものが、なんだったのかを憶い出せなくなるまで」

「みをちゃんたら、なに言ってんのか、よく判んない。もしもそのままうっかり、たいせつなお手紙を仕舞っていることを忘れちゃったりしたら、どうすんの」

「それならそれで、別に。忘れられるものならば忘れてしまえばいい」

「いや。やっぱり意味、判んないし」

　双子姉妹のかけ合いを聞いているうちに、ふと自分はなにを想い患っているんだっけ、と失念しそうになるくらい心が和らぐ。むろんふたりとも舟渡宗也とわたしの関係性やそれにまつわる個人的事情を把握、理解した上で喋っているわけでもなんでもない。文字に起こすとおとなびた印象が先立つけれども、実際の彼女たちの口吻は諫言や進言というより野放図な言葉遊びの域を出ない。

　にもかかわらず。みをりとしえりのやりとりはどんな賢者の慰撫にも勝って、わたしの心に響いた。「……うん。そうだね」

　二通の封筒をまとめ、床の手荷物籠のなかへ、そっと落とし込む。「そろそろ開けてもいいかな、と素直に思えるようになるまで、じっくり待つことにする」と宣言しつつもこの後、食事を済ませて帰宅したら即座に開封するであろうことも重々判っていたが。

「あれ。ここって、そういうご飯ものもあるの？」と、ふいに子どもっぽい歓声が上がった。カホ嬢の連れの若い男性客だ。

　生まれたばかりの赤ちゃん並みに血色良く破顔し、こちらのテーブルを無遠慮に覗き込んでくる。みをりとしえりの前に刻子が運んできた特製夕食セットに眼が釘付け。素揚げの根菜類や塩豚のソテーをトッピングした甘口カレーとフルーツトマトのサラダという、まかない料理のような組み合わせなのだが。それがよっぽどこのいわゆるチャラ男くんの琴線に触れたようで、こちらが不躾を不快に感じる以前に笑ってしまうくらい、心底羨ましそうである。

「こらこら、よもっち。お行儀お行儀。いくら血眼で探したって、メニューには載っていないわよ」そうたしなめるカコ嬢も「ごめんなさいね」とこちらにぺこぺこ謝ってきながら、くすくす。「事前に予約して久志本さんに頼んでおけば、ちゃあんとつくってくれるから。ね。また今度のお楽しみ」

　愛称が「よもっち」ってことは例えば四方田さんとかそんな名前かなと、どうでもいいことを考えていると。しえりが「んふ」と嬉しそうにカレーをひとくち頰張った。

そして一旦スプーンを皿の縁に置いたしえり、なにを思ったのか、両掌を胸の辺りに掲げ、首を前後左右にくねくね。そのリズミカルな動きに合わせて空気を撫で回すかのようなムーヴをひとしきり。そのさまはフラダンスのようでもあり、ディスクジョッキーのパフォーマンスのようでもあり。

「ど。どうしたの？」と思わずわたしが訊くと、しえりはくしゃくしゃに皺寄せた眼と小鼻が顔面に埋まってしまいそうな勢いの弾ける笑顔で、カクテルシェイカーよろしく手を上下させ、お皿を指さしてみせた。

「えと、つまり。これ美味しいよお、と心の底から叫びたいのかな？」と確認すると、うんうん、とツインテールの髪を羽ばたかせんばかりに頷く。いまにもヒップホップダンサー気どりで踊り出すんじゃないかと危ぶむノリで、なんとも愛らしいんだけれど、いや、カレーをたったひとくちでそこまで？　と、こちらはちょっと、ぽかーん。

「この前、しえりは別のお店で食事中に、ママに叱られたんです」やれやれ、と溜息混じりに、みをりが解説してくれた。「ぱくっと食べるなり、おおお美味しいッなにこれッ、とかって。大声で叫んで、他のお客さんやお店のひとたちを、びっくりさせちゃった」

「だからあ、今日はちゃんと、こうして静かに、しずかーに」当のしえりはのほほんとスプーンを持ちなおし、素揚げされた南瓜(かぼちゃ)のスライスを半分に割って、にっこり。「ね」

「えと、つまり」こちらは気を執りなおして生ビールを、ごっくり。「言葉ではなくてダンスというか、そのジェスチャーで喜びを表現するぞ、と。こういう意図なのね」

「本人は、これで反省しているつもりなんです。いやそもそも、美味しい、とただ小声で感想を述べれば済む話だぞ、って」

いつもの妹への他愛のない弄(いじ)りかと思いきや、みをりの口調は意外に、きつめで苦々しげだ。「あのね、しおり。言っておくよ。調子に乗って、はしゃいでいるうちに、うっかりお漏らし、なんて笑えない失敗だけは、やらかさないように注。あ」と、そこで慌てて自分の唇を掌で覆(おお)った。「ごめんなさい、お食事中に。絶対アウトな譬(たと)えを」

小声で首を竦めるみをりに「……なんのこと?」と小声で囁(ささや)き返したわたしだが「あ。なるほど」と、すぐに自己解決した。「そうか。そういう……」

みをりは改めて共犯者意識を滲(にじ)ませ、そっと頷いて寄越した。彼女がここで懸念しているのは要するに、しえりの特殊能力が周囲に及ぼす影響の問題だ。サイキックなんて、いい歳したおとなが公共の場で口にするのはいろいろ支障や心理的抵抗が無くもないSF的テクニカルタームだけど、事実は事実なのだから、しょうがない。みをりとしえりは揃って、いわゆる超常能力者なのである。

その能力は双子でもそれぞれタイプが異なっていて、みをりについては後述するが、しえりは直接手を触れずに物を動かせるテレキネシスの類い。ファンタジー映画などによく登場するオーソドックスな念動力とはまた、ひと味ちがうのは、その遠隔操作対象物が他者の身体に限定されているらしい点だ。

不勉強で正式名称を知らないのだが、装甲型ロボットのように装着者の動作にシンクロして稼働する義手デバイス。あれを想像していただくと理解しやすいかと思う。例えばしえりがガッツポーズを決めると、離れたところに居る対象者もまったく同じようにガッツポーズを。しえりがラジオ体操をすれば対象者もラジオ体操を、という具合に。対象者は己れの意思に関係なく、文字通り操り人形も同然に四肢を強制的に動かされてしまう。さしずめパペット・マニュピレーションとでも称すべき念動能力なのだ。が。

たしかに、実際に発動現場でその威力を目の当たりにした経験のある身として、ちょっと気にはなっていた。すなわち、しえりのこの念力が本人の自覚の及ばぬところで、うっかり駄々漏れしてしまう、なんて不測の事故が起こったりはしないのだろうか？　と。

そんなこちらの胸中を読み取ったかのように「実際、あったんです。以前にも」と、みをりは妹を眇（すがめ）で一瞥（いちべつ）。「寝惚けたしえりが、どばばーッと。ベッドの周りに例の赤い光を飛び散らせてしまったことが、何度か」

この赤い光とはざっくり言うと、しえりの能力が発揮された際のシグナルのようなものだが、通常は不可視で、これを認識できるのは姉のみをりと、そしてわたしだけ。彼女たちの母親の珠希さんですらこの超常現象を把握していないらしいのに、なぜ赤の他人である当方がこの姉妹の秘密を認識し、共有できるのかは未だ謎だが、それはともかく。

しえりが夢のなかで例えば俄（にわ）かボクサーに扮（ふん）したとしよう。さあ、どっかん。相手をノックアウトしました。それはぐっすり眠り込んでいる本人にとってはただのエア・ボクシングに過ぎない。けれどたまたまその能力発動シグナルである赤い透過光の射程内に、べたべたいちゃついている最中のカップルが居たりしたら、はたしてどうなりますやら。しえりの念力に遠隔操作された女性が、まさにいまキスしようとしていた相手の男性を己れの意に反して、ぼっこぼこにしてしまう、なんて悲喜劇的な大惨事が生じかねない。

かように、ときと場合によってはサイキック本人にも制御し切れない能力が発動してしまうリスクは、就寝中など特に要注意であろうことは想像に難くない。みをりはそれを、おねしょに譬えて「お漏らし」と表現したわけだ。なるほど。なかなか的を射ている。

「やめろよ、もー、みをちゃんたら。どうでもいいし。そんな大昔の話なんか」

「ちがうだろ、大昔とは全然。わたしたち、もう小学生になってたし」

「だいじょうぶだよお。だって、それでなにか困ったり、どこかに迷惑をかけたりしたわけでもないじゃん」

「ほんとは大事故なのに誰も気がついていないだけ、なんてオチでなけりゃいいけど」

侃々諤々のすぐ隣りのテーブルでも、カホ嬢が「え。よもっちって〈トワイライト・コンドル〉に勤めてたの？」と素っ頓狂な声を上げた。よもっちなる男性の名前が竹俣与文継であることはこの段階ではまだ明らかになっていないが、彼は以前、同ホストクラブの従業員だったらしく、ふたりはいまその話題でいろいろ盛り上がっている。

「そだよん。もちろん、も、ぶっちぎりのナンバーワンで。来る日も来る日も同伴、アフターが引きも切らず」本気なのかツッコミ待ちの芸風なのか判別がつきにくい、大袈裟かつナルシシスティックな抑揚で、ふんぞり返った。「月に最低でも三人くらいから、逆プロポーズされちゃったりなんかして」

「いつ頃?」とカホ嬢はカホ嬢で、うざい自慢トークを華麗にスルー。

「えと。新型コロナで世間がそろそろ騒ぎ始める直前くらい、までは勤めてた」

「二〇一九年頃? なら、アンリのことを知ってるんじゃない? ナメガヤ、アンリ」

漢字は『行谷杏里(なめがやあんり)』と書くらしい。そう聞いて、なにか引っかかりを覚えたわたしだったが、このときはまだ具体的に記憶を掘り起こすには至らない。

「足しげく〈トワイライト・コンドル〉へ通う上客として、かなり有名だったみたい」

「あーはいはい、あの。はい、あの杏里さんね。え。カホさん、知り合い?」

「それほど親しかったわけじゃないけど、一応。中学校の同級生。卒業してからは全然だったけど、まあまあ親しい共通の知人から噂(うわさ)はよく耳にしてた。高校中退して専門学校へ入りなおしたけど、そこの講師とも喧嘩(けんか)して辞めて。地元を出て大阪とか福岡とか、都会でバイトを転々とした後、名古屋(なごや)の栄(さかえ)のキャバクラでナンバーワンになったとか」

「全然、とか言うわりには詳しいじゃん。女同士の情報ネットワークってやつ?」

「そんな大したもんじゃない。全国津々浦々を転々としていた彼女がいつの間にか高和へ舞い戻ってきていたり、財力のある男をつかまえて悠々自適のいっぽうでホストクラブに嵌まっていたり、なんてことも、ほんのついこのあいだまで知らなかったし」

「よくドンペリ、開けてもらったなあ。そりゃあもう豪快なお大尽っぷりで。あっは、なつかしいねえ。いまも変わらず、派手に遊んでいるんだろうなあ、彼女」

「あ。じゃあ、よもっちは知らないんだ」

「なんの話」

「杏里は死んだよ」

「へ？　うそッ」

「しかも殺されて。今年の三月。ホワイトデイに。ローカルニュースで大きく取り上げられてたじゃん。見てないの？」

「えー。マジ？　マジで杏里さん、殺されたん？　じゃあ犯人はやっぱ、あの旦那？」

「旦那？　いや。逮捕されたのは以前〈トワイライト・コンドル〉に勤めてた、元ホストの子だって。その段階で、もうお店を辞めて久しかったそうだけど。杏里がめっちゃ入れ揚げていたとかで。旦那が留守の隙に、その子を自宅へ連れ込んだ。

そこでふたりのあいだで、なにか取り返しのつかない揉めごとになっちゃった……らしいんだよね」

「情痴のもつれってやつ？　やれやれ。そりゃあなんともはや。自業自得っつうか。相変わらずだったんだねえ、杏里さんてば」

「んん？　どゆこと、それ？」

「だからそんなふうに杏里さん、しょっちゅう旦那の留守を狙ってはお楽しみに耽っていた。旦那っつっても籍は入れていなくて、内縁関係だったようだけど。いっしょに暮らしてたんだからまあ、旦那だよね。その眼を盗んでそんなに度々、ラヴホとかでならともかく、わざわざ自宅へオトコを連れ込んだりしてたら、そりゃまあ、いつかは取り返しのつかない修羅場になっちゃいますわな」

「なーんだか、ずいぶん事情通ぶっておられるけど、よもっちったら。ほんとの話なのそれ。杏里ってほんとにそんなにお盛んだったの？　ちゃんとソースはあるんでしょうね。知り合いのそのまた知り合いからの又聞き、なんて無責任な与太じゃなくて」

「もちろん。例えば、とっくに店は辞めているやつなんで、ここだけの話っつうことで具体名を出すと、コイヌイって男が」

「え。なんて？　鯉の胃？」

「ソースのひとりである元ホスト。たしか小さいに乾く、と書いて、小乾(こいぬい)って名前。店ではおれよりもちょい先輩で。これ、そいつから直接聞いたんだけど、お持ちかえりされちゃったんだってさ、杏里さんに。ところが、さあ、いざってときに。留守のはずだった旦那が、いきなり帰ってきちゃったらしい」

「ほほう。それでそれで？」

「間一髪。床に脱ぎ散らかしていた服や下着を必死こいて掻(か)き集め、寝室のクローゼットのなかに跳び込んだ。まるでコントだけど、そいつが隠れているあいだ、杏里さんがその場をなんとか取り繕って。結果的に気づかれることなくやり過ごせた。極めて嫉妬(しっと)深く凶暴と悪評高い旦那に首根っこを掴(つか)まれるという最悪の事態は免れたんだってさ。ちぇッ。ラッキーなやつだぜ。ちくしょうめ」

「なんでそこであなたが不満げなのよ。まるで、それにひきかえこのオレは、みたいに。ん。あれれ。まさか？」

「まあその。もう時効だから、ぶっちゃけるとね。おれもしっかりお持ちかえりされちゃったことがあるんだ。まいったまいった。杏里さんのお盛んぶりは小乾の件以外にもあれこれ聞いていて、なんとなくその夜は、そういう流れになりそうな予感はあったから、飲むのは極力控(ひか)えて体調は、ばっちり。万全の態勢だったのにさ。いざ往(ゆ)かんと、すっぽんぽんでベッドに潜り込んだ途端、留守のはずの旦那が帰宅してきやがって」

「ちょい待ち」

　唐突に邪険な、ほとんど叱責口調で、カホ嬢は与文継氏を遮った。センシティヴな類いの話題ゆえ、もっと声量を落としなさい、少しは店内の未成年同席者たちの耳もはばかりなさいとの注意喚起か、と思いきや。「なにそれ。おかしくない？　よもっちのときも、その小乾なにがしのと、まったく同じシチュエーションが反復される、だなんて」

「は？　いや、だから。これはさ、杏里さんがそれだけ乱れてた、ってお話で」

「そういう問題じゃなくて。彼女はそれ以前にも旦那の留守を狙って失敗しているんでしょ？　なのに懲りずに、また自宅へオトコを連れ込む？　同じ浮気をくり返すにしても、ラヴホでもなんでもいいわけじゃん。なんでわざわざ自宅？　杏里ってそんな無防備な、学習能力の無い娘だっけ。たしかに教師たちとは肌が合わず、高校や専門学校は途中で辞めちゃったようだけど。基本クレバーで、地頭はすごくよさそうだったよ」

「やっぱり前回の成功体験が災いして」

「いやいや。成功していないじゃん。寸前で旦那が帰ってきちゃったんでしょ」

「旦那の隙を衝いて、どうにか無事に間男をクローゼットから脱出させたそうだから。発覚していない。少なくとも失敗じゃねえっしょ。実際エッチはできなかったから成功とも言えんけど。って、ここでお約束な親父ギャグは禁止ね。まあ杏里さんにしてみれば小乾とのことは未遂だったうえに、旦那にもバレずに済んだんだから。つい油断しちゃったんだろうね、おれのときも。今度もきっとだいじょうぶ、なんとかなるわ、ってノリで」

「いつのこと？　それって具体的には」

「小乾については、はっきりとは判らないけど、おれのほうは店を辞める直前くらい。だからコロナ禍（か）前。二〇一九年頃だね」

「で、話を戻すと。よもっちの場合は、杏里の旦那にバレちゃったんだ？」

「しっとり抱き合ってキスしようとしたところへ、玄関のほうから音がして。あ、ヤバい旦那だッと杏里さんが慌ててベッドから跳び起きた。早く隠れてちょうだいッと彼女に急（せ）きたてられるまま、おれはクローゼットのなかへ押し込まれて。そこまではよかったんだけど。杏里さん、信じられないような暴挙をやらかしちまったんだよね。せっかく閉めてたクローゼットの扉を彼女、なんと自分で、どばーんッと開けちまいやがってさあ」

「は。え？　なにそれ。どうして？」

「知らねえっす。本人もわけが判らないままパニックになっちゃったんだろうね。

寝室へ押し入ってきた旦那と、クローゼットのなかで縮こまっているおれを交互に見ながら、眼ン玉、ひん剝いて。ちがーう、そうじゃないッ、なにやってんのよおッ、とかってセルフ突っ込みで絶叫しては地団駄、踏んで」

そのときだった。みをりが眉根を寄せ、そっと横眼で隣りのテーブルを窺ったのは。

「へーえ……あの杏里が？　そんなに取り乱すなんて意外。十代の頃の彼女しか知らないあたしには、とにかく肝が据わってるタイプって印象しかないけど。で、どうしたの」

「後はもう、しっちゃかめっちゃか、っつうのか。ぽかーん、と突っ立っている旦那の背中を、いきなり突き飛ばしたかと思うや、クローゼットのなかへ押し込んできたり」

「杏里が？　なにを血迷って、そんな」

「だから判らねえっす。おまけに速攻で扉を閉められちゃったもんだから、狭い空間で旦那と密着という、おれにしてみれば最悪の地獄絵図っつうか。世にもおぞましい窮地に。あっちも喚き散らしてたけど、こちらもたいへん。阿鼻叫喚、大混乱の最中、頭の隅っこはなんだか冷めてんの。あーこれが杏里さんの旦那かあ、なんて。呑気に考えたりしててんだから、人間っちゃ妙なもんだね」

「杏里の旦那のこと、知ってたの？」

「名前はね。マツモラとか。あ。下の名前じゃなくて、苗字」漢字は『松茂良』と書くらしい。「ほら。さっきも話に出てた、彼女の名古屋時代に知り合ったらしくて。この松茂良って実は全国のキャバクラ巡りが趣味の御仁だそうでさ。たまたま訪れた栄の店で働いていた杏里さんが同じ高和出身だと知って、意気投合したんだって。で、そのまま地元へ連れてかえってきちゃった。そういう馴れ初めらしいというのは知ってたけど。実際にその旦那本人にお目にかかったのはそれが初めて。しかも狭いクローゼットのなかで互いに抱き合わんばかりの恰好ときたもんだ」

「うわー、想像したくねえわ。よもっちってそのとき、すっぽんぽんだったんでしょ。杏里はどうしてたの、そのとき」

「すぐに扉を開けてくれた。なんなのよもうッとかって喚きながら。開けてはくれたんだけど次の瞬間、だーッと今度は自分自身がクローゼットのなかへダイブしてきてさ」

「はあ？　杏里が？　え。なにそれ。ダイブしてきた、って。どういうこと？　ねえ」

「知らねえっす。杏里さんだってわけが判らなくなってたんじゃない？　パニックの上に自分の支離滅裂な行動が重なって、さらにパニックの上塗りという負のスパイラルで。とにかくクローゼットのなかで三人はくんずほぐれつの団子状態。杏里さんとおれは素っ裸だから、まるでAVの撮影現場でさ。みんな我先にクローゼットから出ようとするもんだから互いに小突き合い、蹴飛ばし合いの糞詰まり状態。ようやくおれが這い出れた。と思ったら、羽交い締めにされちまって」

「逃げようとして旦那に捕まったんだ」

「それが杏里さんに。いや、どうしてと訊かれても答えようがねえっす。世にも奇妙なひと幕だった、としか言いようがない。おれをがっつり羽交い締めにした杏里さん、そのままベッドに倒れ込み。クローゼットからようやく出てきた旦那がそんなおれたちふたりを茫然と見下ろしているという、もはや、なんと形容したものやらなカオス状態で」

「そうやって、ずっとベッドの上で杏里に押さえつけられてたの?」

「放してくれって頼んでも杏里さん、あたしだって放したいのにッって。でもどうにもならないのよお、と半泣きで叫ぶばかり。しかも力がまったく緩まない。しばしベッドの上で肉弾戦を余儀なくされ。つっても全然エロくねえんすけど。旦那もまた為す術もなく、ただ傍で茫然と見てるだけ。どれだけ時間が経ったかなあ。ようやく杏里さんの力が緩んで、ほうほうの態でベッドから降りた」

「他に質問のしようもないから訊くけどさ、それからどうしたの」

「三人とも憑き物が落ちたかのように無言。ああいうときって、ほんと、見事に知能が働かなくなるね。おれもあそこ丸出しの自分の姿が間抜けに思えるようになるまでけっこう時間がかかったけど、ようやく服を着て」

「杏里と旦那は？」

「さすがに彼女も服を着たけど、旦那はただ傍観している感じ。なにかひとことでもフォローしておくべきかと迷ったけど、なんと言ったもんか、ぜーんぜん判らんし。なので、そそくさと家を出て、歩いて帰った」

「止められもせずに？　まあ状況が状況だから、止めたところで、なにをどうしたらいいか、杏里も旦那も判らないだろうけど」

「大通りへ出てから、あ。しまった、ぼんやりしていて普通に玄関から出てきちまった、と思い当たって悔やんだけど、後の祭り」

「ん。なに、普通に玄関から？　って」

「杏里さんの家へ連れてゆかれたとき、おれ一瞬、入るのを躊躇したんだ。なんせ旦那は嫉妬深いことで有名じゃん。後で防犯カメラをチェックされたりしないの？　って。そしたら杏里さん、いま思い返してみれば、だけど。連れ込む男がそう不安がるのに慣れっこな感じで。門扉から玄関ドアへかけて飛び石を微妙に避けて通れば、少なくとも顔は映らないからだいじょうぶ、と教えてもらった。だから帰り際も、ちゃんとそうしよう、と決めてたのに。すっかり忘れちまってて」

「すでに旦那にはしっかり顔を見られてるんだから。いまさらそんなこと、気に病んだって意味ないじゃん。そういえば、どこなの。杏里が住んでたその松茂良家って？」

「あれは、えと。名月町（なつきちょう）だっけ」

そこでみをりは息を呑んだ。そっと盗み見る余裕もないようで、あからさまに隣りのテーブルの男女のほうへ眼を向ける。そんな彼女の両耳の辺りから淡いエメラルドグリーンの光が立ち昇った。みをりの特殊能力の発動を示す透過光で、しえりのそれと同様、わたしと双子の相方以外、通常は不可視だ。これによりみをりは精神感応力の一種を発揮し、他者が心のなかで思い浮かべているものを文字通り、視（み）ることができる。だが。

このとき出現した緑色の光は、無造作に息を吹きかけられた蠟燭（ろうそく）の火のように細く、頼りなげに、たなびくばかり。失速した飛行機もかくやな錐揉（きりも）み状態で、あっという間に消え去った。一旦つながりかけていたテレパシー回路が途絶されてしまったのだ。

みをりの精神感応力は、その対象者の心象風景をすべて常時モニターできるわけではない。当該人物が五感への刺戟（しげき）に反応して心に浮かべる断片的イメージをその都度、拾い上げるかたちで彼女は読み取る。そういう能力であるため、感応対象者の興味関心が薄れたり、余所へ移行したりした時点で、みをりといえども感知はできなくなってしまう。

　みをりは、そっと自分のスマートフォンを手に取った。科学的な構造原理の説明などはひらにご勘弁願いたいのだが、彼女は他者の心の裡をただ読み取るだけではなく、それを画像として撮影、保存ができるのだ。ただしそれも肝心の具象が対象者の心に浮かんできてくれないことには始まらない。

　ちらちら横眼でスマホをスタンバイし、シャッターチャンスを窺うみをりだが、先刻の緑色の光が現出する気配は無い。やがて、よもっち氏とカホ嬢は、どうやら完全に他の話題へ移行してしまったようで、わたしたちには皆目見当のつかない固有名詞ばかりが飛び交うやりとりに終始する。

　そしてふたりはひととおり食事を終え、入店して未だ一時間も経っていないうちに、さっさと立ち上がった。そしてカホ嬢が支払いをして、仲好く店から出てゆく。

「……あの、いまの」と、みをりにしてはめずらしく落ち着かない、せわしない口調で刻子に訊いた。「いまのおふたり、よくここへ来られるんですか？」

「カホさんのほうは、ね。たまに」

なんでも彼女、市の中心街でヘッドスパやフェイシャルトリートメントを行うヒーリングサロンを経営している方だとか。「たいていは、おひとりでいらっしゃるんだけど。今日はめずらしくお連れさまといっしょに」

「じゃあ男性客のほうが、どこのどなたなのかは？　判りませんか？」

「うん、初めての方だから。よもっち、ってカホさんは呼んでいたけど。ヨモダさん、とかかな、もしかして。どうして？」

「いえ別に。どうもすみません」

「……どうしたの」刻子が厨房の作業へ戻るのを確認してから、わたしは小声で、みをりに訊いた。「なにか気になることでも？」

「名月町……って言ってましたよね」

「ん？　ああ、男女カップルが間男を挟んでの、ひと騒動という例の。それが？」

「ひょっとしてうちの、というか、父の実家のお隣りさんなんじゃないか、と思って」

珠希さんの元夫で、みをりとしえりの父親である草間勝義（くさまかつよし）の実家が名月町に在（あ）るのだ、と言うが。「でも、ひとくちに名月町と言っても広いでしょ。なんでピンポイントで、お父さんの家がお隣りなんじゃないかと？」

「わたしたちが二年生だったから、二〇一九年の出来事なんだけど。その頃、ママとお父さんはまだ離婚していなくて。親子四人で名月町の家に住んでいたんです」

春休み直前の三月のとある日の夕食後。寝室へ引っ込んだしえりは疲れていたのか、着替えもせずにベッドに倒れ込み、ぐうぐう鼾をかき出したという。「こら、ちゃんと寝間着に着替えて。歯も磨かなきゃダメだよ、と声をかけたんです。そしたらしえりは、ふわーい、とかなんとかボヤけた声ではあったけれど一応は返事をして。起き上がった。でも足もとがよたよた危なっかしい。だいじょうぶかな、と見守っていたら、クローゼットのほうへ歩いてゆくんです。パジャマはそこに置いていないのに、やっぱり寝惚けてる、やれやれ、と思っていたら……」

しえりの髪が、ふわりと浮遊したかと思うや、ピジョンブラッドの透過光を発し始めたのだという。「あッと慌てて。目を覚まさせなきゃ、と小走りに近寄った。そのときしえりは、もうクローゼットの扉を開いていて。こちらが伸ばそうとした手を避けながら、わたしの身体を投げ飛ばしたんです」

予想もしなかった妹の奇襲によってクローゼットのなかへ放り込まれたみをりは体勢を立てなおし、「こらあ、なにすんのッ」と内側から扉を叩いた。すると、すぐに扉を開けてくれたはいいのだが。「みをりったら明らかに寝惚けまなこのまま前のめりに、ぐらあッと。わたしめがけて倒れ込んできて。ふたりでもつれ合い。出ようとしていたこちらはクローゼットのなかへと逆戻り」

そのあいだにも、しえりの頭部からは念力発動サインの赤い透過光が、ずっと放射されっぱなしだったという。「……それは、どちらのほうを向いて？」

「そのときはじっくり見極めている余裕がなかったんだけど。いま思うと寝室の窓側へ向かっていたような。つまり壁を通り抜けて、お隣りさんの家のなかまで届いていたんじゃないか……と。そんな気がして」

「まって待って、みをちゃん。それって、ほんと？」しえりは笑い飛ばそうか、それとも拗ねようか迷っているかのような、なんとも複雑な顰めっ面で。「そんなこと、ほんとにあった？　覚えがないよお、あたしには」

「そんなハプニングが起こっていたのだとしたら、たしかに。さっきの、よもっち氏の世にも奇妙な武勇伝にも説明がつくね」

頷きながらわたしは、甘えるように抱きついてくるしえりの頭を軽く撫でてやる。「杏里さんなる女性と浮気しようとしていた現場へ、彼女の旦那さんが突然帰宅した。よもっち氏は慌ててクローゼットに隠れる。そのままやり過ごせるはずが、なんと。その場をうまくごまかさなきゃいけない立場である杏里さんに偶然、しえりの念力が憑依して。クローゼットの扉を開けてしまった」

「そうですそうです。そしてたまたますぐ横に立っていた旦那さんは、わたしとまったく同じように、彼女に投げ飛ばされた」

寝惚けているしえりの動きに合わせて、というか、引きずられて杏里さんは、旦那をクローゼットのなかへ放り込んでしまった、というわけだ。「しえりにシンクロするかたちで、自らも続けてクローゼットのなかへと潜り込んだ杏里さん。入れ替わりに外へ出たよもっち氏を羽交い締めにして、いっしょにベッドに倒れ込む。これもしえりが、クローゼットから出たみをりに仕掛けたのと同じ行動をなぞっていたからなんだね？」

みをりは頷いた。「これだけお互いに重なり合っているんです。とても偶然ではあり得ない。そうは思いませんか」

「まあね。よもっち氏がテキトーな駄法螺でカホさんの受けを狙おうとしたのだとしてもシュールというか、奇想天外に過ぎる。煙に巻こうとするならするでもう少し、もっともらしい筋立てをでっち上げるだろうし」

「そうです。よもっちさんは自分でも馬鹿ばかしいとわきまえつつも体験したとおりの出来事を、ありのままに話していたはず。けれども、だとしたら、おかしなことがある」

「ん。おかしな？　とは、なにが」

「奇妙なドタバタ劇に巻き込まれた、杏里さんの旦那さんの反応です。あれを聞いて、ことさんは、どう思いました？」

「あまりの奇天烈さに茫然としていた、って言うんでしょ。さもありなん、て感じ」

「たしかに途中までは。妻とそのマオトコもろとも」覚え立てのせいか『間男』のイントネーションが少し、たどたどしい。「彼女にクローゼットのなかへ放り込まれる、そこまではいいんです。ただただもうナニがなにやらワケが判らんと。木偶の坊状態になっても無理はない。けれども、その後が……」

「よもっち氏は杏里さんに羽交い締めにされて、いっしょにベッドへ倒れ込んで……」喋っているうちに、みをりがなにを指摘しようとしているのか察しがついた。「そうか、なるほど。旦那の立場にしてみればそのときの状況は、不審な住居侵入者を内縁の妻が見事に取り押さえた、という構図なわけだ。いくら混乱していたとはいえ、普通ならその好機を逃さず、警察に通報しているはず」

「人間の性格は十人十色だから。同じショック状態でもすぐに回復できるひともいれば、多少は時間がかかるひともいるでしょう。けれど自宅のなかで、すぐ眼の前のベッドの上でパートナーが不審者を取り押さえて奮闘しているっていうのに自分は、ただ手をこまねいて見ているだけ、だなんて。いくらなんでも不自然に過ぎると思いませんか？」

理路整然としたみをりの説明にいたく感心し、わたしは「なにか……」と思わず独りごちた。「松茂良氏にはなにか事情でもあったのかな。つまり、いくら自宅に不法侵入者が居ようと警察には通報できない、という」

〈つづく〉

すべての神様の十月（三）

第九回

死神よ来い

小路幸也

Shoji Yukiya

ここの医院は初めてですね。

なるほど、心臓の発作ですか。突然だったのですね。

まぁそもそも心臓発作というものは突然やってくるものですから。救命救急医にもどうしようもなかったのでしょう。運ばれてきた時点で、もうそれは動きを止めていたのでしょうから。

亡くなっているのはわかりますが、医師がいるばあいには、その言葉を待ちます。

ご臨終（りんじゅう）です、と。

人間の医師がどのようにして死亡を確認するかは把握（はあく）しています。

まず、呼吸の不可逆停止確認。それから、心停止の確認。さらには、瞳孔拡散の確認。これらを全て確認して初めて医師は死亡宣告をします。そのはずです。

私たち死神は、それを待ってから、死を確認します。

ご家族や医師や看護師など多くの人がいる場合が多いのですが、それにも構わず、遺体に近づき自分の手と眼で確認します。

もちろん、私たちのことを普通の人間は視認できませんし、触れることもできませんから堂々とその中に割り込んでいって遺体に向き合います。

死神も、視認はもちろんできますが、普通は生きている人間を触ったりすることはできません。

死神が触れられる人間は、普通は、イレギュラーな場合は別にして、遺体だけです。生命活動を停止した、肉体のみ。

そして、わかるのですよ。

医師が死亡宣告をした後も、しばらくその細胞(さいぼう)は生き続けることが。そして、どれぐらいで全ての細胞が死んでいくかが。

全ての細胞が死に向かっていっていることを確認して、初めて私たち死神はその人間が死亡したことを、認識します。

それで、私たちの仕事は終わりです。

普通は。

時折、まるでバグかエラーのように普通でないことが起こることもあります。

間違いなく死亡を確認したのに、人間がいうところの奇跡のように再び細胞が、つまり心臓が活動を始めて生き返ったりすることが。

もうそれは、私たち死神にとっても驚くことであり、まさしく神の御技としか思えません。

私たち死神も一応神なのですが、その神である私たちでさえ、会ったこともない、神。いることは間違いないと感じられるし、人間のようにこの目で見なければ信じられないということもありません。

そもそも信じる信じないという話ではないですからね、私たちを含めて神というのは。

間違いなくそこに、在るものですから。

人間と同じように。

さて。

この方は。

たった今、医師に死亡宣告をされ、やってきた私も触れ、間違いなく死を認識しました。

それで、ここでの私の仕事は終わりです。

そのまま私たち死神は次の仕事先へ向かって行ったりするのですが、あのことがあってから私は声を掛けるようにしました。

そうするのが、いいような気がしたからです。

「お疲れ様でした」

この方は、その生を終えました。

どんな人生であれ、生きてきたことは素晴らしいことだったと思えるようになりました。だから、そう声を掛けるようになりました。

もちろん、周りにいる人間には聞こえませんが。

今日の仕事は終わりました。

今のところ、私の管轄地域で私が向かうべきところはありません。このまま立ち去ろうとしたときに、暗い廊下で一人の看護師が声を掛けてきました。

「珍しいわね。死神が言葉を掛けるなんて」

おや。

「〈福の神〉ですか」

「そうよ」

看護師さんの〈福の神〉。かかわる人々に、大なり小なりの福を与えていく神様の一人。

「伊沢さん、でしたか。こちらの病院にいたんですか？」

「ここんところはね。そして名前はここでは坂本よ」

「そうでしたか」

〈福の神〉や〈貧乏神〉など、人間と一緒に生活し、仕事をして暮らしている神様たちは、会う度に別の人になり名前も変わります。いちいち覚えてはいられないし覚える必要もないのですが。

「それにね、ここんところはずっと二役も三役もやっていたりするのよ」

「二役、とは？」

「あるときは学生、あるときはＯＬ、そしてまたあるときは看護師って感じで」

「それはまた忙しそうですね」

「そうなのよ。ひとつしか仕事してない死神が羨ましいわ」

　そう言われても困りますがね。

　神同士が会話をしているときには、もちろんそれは普通の人間には聞こえはしませんし、見えもしない場合もあります。なので、周りを誰が通り掛かっても、私たちのことを認識はしません。

「ねぇ、死神。あの子に会った？」

「あの子、とは？」

「あの子よ。ヤクザが撃った銃の流れ弾に当たって死んだのに生き返って、あなたが見えるようになった女の子。女子高生だった子」

あぁ。

「夏川麻美さんですね」

あれは本当に驚きましたね。

私が死を確認したのに何故か生き返ってしまって、しかも私を認識できるようになった夏川さん。

「しかもあなたに恋しちゃった子よ」

そうでしたね。

私に一目惚れして、恋人になりたい、などと言っていました。

そして、私に会うためには医者になるのがいちばんではないかと言い出して、ある約束をしましたね。見事医師になり、私の仕事をひとつ減らしてくれたのなら、恋人になるのは不可能としてもいつでも私に会える方法を教えると。

「しかし、あれから一度も会えてはいませんよ。まだお医者様になっていないのではないですか？」

「なったわよ。何年経ったと思ってるのよ。もう十年過ぎたわよ」

十年経ちましたか。人間の時の感覚は私たちには無縁のものですが、人間と暮らしている〈福の神〉はしっかりとわかっているのですよね。

「そうでしたか。見事に希望通りお医者様になったのですね」

もちろん本人の努力なしには成し遂げなかったでしょうが、〈福の神〉がついていれば間違いなかったでしょうね。

「なったし、ものすごく努力して立派にやっているのよ。でもねぇ」

ふぅむ、といった感じで溜息をつきました。

「どうしました」

「あなたに会えそうもないわねぇあの子は」

「何故ですか」

条件は、死を迎えた患者のところに私が来たときに、その患者を死から救い出して私の仕事をひとつ減らしてくれたのなら、私を召喚する方法を教えてあげましょうというものでしたが。

「果たして召喚できるようになれるかどうかは別にして、死の間際の患者のベッドのところで、一度ぐらいは会えそうなものですがね」

悲しい事実ですが、お医者様の仕事に死というものはついてまわるものです。彼女が医師になったのならば、そして私が担当する区域の病院に勤めているのならば、どこかで会える可能性はあるとは思うのですが。

「あの子、小児科医になったのよ。つまり内科のね。しかも大病院とかじゃなくて町の小さな小児科で働くことになったのよね」

「小児科医、ですか」

なるほど、なるほど。

確かに、小児科医で内科ということであれば、しかも町の小さな診療所であるならば、臨終間際の患者の命を救うような手技を発揮するようなことは、まったくあり得ないとは言えませんが、ほぼないと言っていいでしょうね。

大体そういう場面に遭遇するのは緊急救命医とか、大変な外科手術を手がけるような外科医でしょうから。

「そういえば、私も子供の死に立ち会ったことは数える程しかありませんね。しかも今までにあったのは、交通事故でそのまま現場で亡くなった子供だけです」

すか。
「そうでしょうね」
そういうことであれば、確かに私と会える確率は、ほとんどゼロに等しくなりま
「でもねぇ死神」
「何でしょう」
「別に彼女はあなたに会えなくなってもいいからってそこを選んだわけじゃないの
よ？　医者になった自分に何ができるかを真剣に考えて選んだのよ」
「もちろんそうでしょうとも」
何か不純な動機で医療の道を選ばれても、困ります。
「だから、彼女は今でもあなたに会いたいのよ。恋人になるのは無理だってわかっ
てても、なんとかしたいって思ってるのよ。それはもう純粋な強い恋心なのよ。あ
なただってそういう人間の強い思いは理解はできるでしょう？」
「理解は、できますね」
私たちは人間ではありませんから、本当のところはわからないのでしょうけれど
も、理解することはできます。
「どうよ死神。そういう強い気持ちを持ってるのに会える可能性がほぼないであろ
う小児科医を選んでしまって、彼女の心のうちにものすごいジレンマがあると思う

のよ。それは、彼女の医師として正しき道を阻害するような要因になると思わない？」

「なるほど」

なるほど。ジレンマですか。

それも理解は、できます。

「確かにそう言えるかもしれませんね」

「あなたとの約束が、幸せな人生を送れるはずの彼女の暗い影になってしまうのは、残念だと思わない？」

確かに。

「残念なことです。そんな形になってしまうなどとは思いもせずに約束してしまいましたからね。私にも責任があるかもしれません。しかしだからといって、何もないのに私が彼女の前に姿を現わすことはできません」

それは、ルールに反します。

「そんなのわかってるわよ。だから、その他の道でどうにかしてあげられないものかしらってことよ」

その他の道で、どうにかか、ですか。

「ひょっとして、〈福の神〉」

「なによ」

「学生やＯＬもやっていたというのは、夏川麻美さんの傍にずっといるためですか？　彼女が医者になるために」

「もちろん、そうよ。付かず離れず、彼女の友人でいるためによ」

なるほど。

それならば、手段が考えられるかもしれません。

☆

スマホのアラームが鳴る。

〈Be My Baby〉

布袋さんじゃなくて〈ザ・ロネッツ〉の。オールディーズ感あふれる曲。

ベッドの上で身体を起こして、布団を剝いで、手を伸ばしてブラインドを開けて、その間、曲は聴きたいからしばらく鳴らしてワンコーラス終わったぐらい、ベッドから降りるぐらいで止める。

午前六時三十分。

うん、昨日の疲れも残ってない。

天気予報通り、晴れ。

朝起きて陽(ひ)の光を浴びるのは精神的にも身体上にも大変よろしい。だから、晴れの日の一日は調子良く始められて嬉しい。

ラジオをつけて、朝の支度(したく)。

朝ご飯はいつも卵とサラダとソーセージかベーコンを焼いて、後はトーストを二枚。今日はスクランブルエッグとソーセージにしようか。

いやベーコンが先だ。そっちを食べちゃってからソーセージだ。

毎日同じ朝ご飯でも、全然飽(あ)きない。

むしろ、同じルーティンを繰り返すことは精神衛生上もいいという研究結果も出ているんだ。まぁその辺は人にも依(よ)るんだろうけど、私はその方がいい。一人暮らしを始めてから朝は毎日このパターンだけど、全然オッケー。

トーストにつけるジャムだけは、季節によって替えたりするけれど、それもまた楽しい。余裕ができたら、自分でジャムとか作るっていうのも良いと思うんだ。レシピとか揃(そろ)えているんだけど、まだ余裕はない、かな。

余裕は自分で作るものだけどね。

夏川麻美、三十二歳。

女一人。

独身。

独り立ちの小児科医になって一年目。

いや、まだ独り立ちとは言えないんだった。

開業医である桂(かつら)先生の〈かつら小児科クリニック〉に、近いうちに引退するから、将来ここを引き継いでやらないか、って幸運なお誘いに乗っかってしまってお世話になって、一年目。

やらねば。

粛々(しゅくしゅく)と仕事を。


七時半には〈かつら小児科クリニック〉の鍵を開けて、中に入る。ビル内の空調は二十四時間動いているから、空気が篭(こも)ったりはしていない。これ、すっごく大事。古い建物だと空調が効いていなくて、匂(にお)いが篭るとそれが洗濯して干してあるタオルや白衣に移っちゃうし。

ここは、全部自分たちで洗ってる。業者に頼めばそれはそれで良いけれども、やっぱり節約にもなるし。きちんと洗濯すれば何も心配はない。つけ置き洗いがいちばんいいんですってね。

研修していた大学病院では数が数だからもちろん業者が全部やっていたけれど、

クリーニング代だけでもとんでもない金額になるんだよね。病院経営って本当に大変だってよくわかった。

医は仁術だって言うしそれは確かにそうなんだけれども、算術がないと仁も発揮できないんだよね。

八時前には看護師の皆さんがやって来るし、桂先生も来る。タオルとか白衣をきちんと畳んで整理して、後は看護師さんにお任せして、パソコンを立ち上げて今日の予約状況やそれを確認して予防接種の薬などの準備をしておく。

やることは、たくさんある。あるけれども、大学病院で研修していたときのことを考えれば全然精神的には楽だ。

あと数年、下手したら一年か二年。そう遠くない日に、桂先生も引退する。そうなったら、私がここを引き継ぐ。

小児科医は、子供の疾病の治療をするだけじゃない。子供の心理学や発育という全体を把握して、そこから親を含め社会全体を見渡していかなきゃならない総合診療医だ。

単純な話、子供が風邪を引いて病院にやってきたのなら、その子の発育状況や栄養状況をきちんと確認して見極め、親の育児姿勢や状況まで推察推考していって、初めて総合的な治療を行なえる。行なったと言える。

まぁ、実際そんなところまで考えていったらキリがないので、できないと言えばできないものなんだけど。

でも、理想は追い求めてこそ、理想。

〈かつら小児科クリニック〉に来た子供たちは、全員健全に健康に育ってほしい。幸せになってほしい。

お、LINEだ。

奈々子。

「あ」

【昨日の夜帰ってきたよ】

【お帰り】

【お土産ある。明日休診日でしょ】

【そう】

【今夜どう】

【いいよー】

【じゃ、後でお店決めてLINEする】

【りょうかい】

坂川奈々子。

私の人生でいちばんの親友。

同じ医学部で学んで開学以来の天才とまで言われたのに、何故か突然総合商社に就職しちゃって、バリバリ海外駐在とかこなしちゃってる。

昨日まで半年ぐらいイタリアに行っていた。イタリア語なんて医大では習わないのにあの子は日本語英語はもちろん、フランス語にドイツ語に中国語までマスターしちゃったりしてる凄い子。

イタリアのお土産、なんだろ。

久しぶりに美味しいお酒と食べ物食べたい。


「ねぇ、麻美」

「うん?」

このクリームチーズと生ハムのペンネものすごく美味しい。

「なに?」

「私が向こうに行ってる間に、死神さんに会えるようなことあった?」

ちょっと、微妙な笑みを見せてしまってから、首を横に振った。

奈々子は、知ってる。

私が死神の姿を見ることができるのを。一目惚れしてしまって、そして約束を取り付けたことも。

今のところ、それを話したのはこの世で奈々子ただ一人。誰にでも信じてもらえる話じゃないから。

霊感と言えばいいのか超能力でも持ってると思えばいいのか、本人もよくわからないんだけど、奈々子にはわかるんだって。たぶん死神も含めて、超自然的な存在に出会った人にはある種の匂いみたいなものが付くんだって。

そしてそれを奈々子は感じ取れるんだって。物心ついたときから、ずっと。

今までの人生でそういう人に何人か出会っているんだって。

だから、医大で同級生になって仲良くなって、しばらくしてから奈々子が訊いてきたんだ。「ひょっとして麻美って」って。

「ないよ」

まだ死神さんに会える機会は、ない。なかった。

そして、ない方がいいことなんだ。

もちろん、人間がいつか死んでしまうのはどうしようもないことだけれども、死神さんに会えるのは誰かが死ぬとき。死神さんに会いたいと思うということは、誰かの臨終に立ち会いたいと思うのと同じこと。

そんなことを考えちゃうのは、医者としてどうかって。

「だよね。そもそも臨終間際の患者に立ち会うことだってそんなにはないのに、ましてや小児科内科医を選んじゃったらね」

「そうなんだよねぇ」

　でも、後悔っていうか、選択を間違ったなんて思っていない。

　どの道に進むかたくさんある医療の選択肢の中で、私がやりたいことになったのは小児科医だった。そう決めた。その決断に後悔なんかしていないけれど、それが死神さんに会えるパーセンテージを減らしてしまったのは、確かなこと。

　そもそも医者になろうとしたのは死神さんに会うためであって、勉強しているうちにそれには緊急救命医や外科医がもっとも適しているとわかってきたんだけれど。

「でも、小児科医の道を選んじゃったんだもんね」

「うん」

「あきらめられるの？　死神さんに会うことを」

「あきらめられるはずがないけれども」

わずかな可能性を信じようとは思っているけれども。

「それを願うこと自体が医師として不謹慎だっていうのがね」

そう思ってしまう。そのことを思うと、溜息が出ちゃう。

奈々子も、溜息をついた。

「あのね、麻美」

「なに？」

「私が今までの人生で何人か〈超自然的な存在に出会った人たち〉に出会っているのは、話したわよね」

聞いた。もちろん、信じている。私自身がそうなんだから。

「この間、イタリアで、その中の一人に偶然バッタリ会ったのよ」

「へぇ、その人、日本人じゃないの？」

「日本人よ。仕事の関係で会った人なんだけど、翻訳家なの」

翻訳家。そんな職業の人にはまだ出会ったことがない。

「大学の先生でもあるのね。イタリア語もそうだけどフランス語とかスペイン語とか、ヨーロッパの言語の専門家みたいね」

「語学の天才みたいね」

そんなにたくさんの言葉を知ってるなんて凄い。

「なんかイタリアの大学に研究だか研修だかで来ていたらしくて、本当に偶然だったし時間もあったので、何かの縁ですねってその日晩ご飯を一緒に食べたのよ」

「それで？　いい男でいい感じになったって話？」

奈々子は積極的だもんね。

「違うわよ。や、知的で物静かでそれなりにいい男なんだけど私はタイプじゃないし向こうもそんな気はなかったわよ。でね、その人の、その匂いが濃くなっていたのに気づいたのよ」

濃くなっていた。

「それは、その人が〈超自然的な存在〉に何度も会ってるって意味になるってこと？」

「たぶんね。確かめたことないし確かめられることでもないけれど、そういうことなんじゃないかって。それで、ちょっとカマかけてみたの」

「カマ？」

「なんだかんだと楽しく話しながら、そういう超自然的な存在の話題とかフってみたのよ。死神とか神様とか、そうしたらね」

どうしたの。

「〈死神〉って言葉にちょっと反応したのよその人」

「反応というのは」

「それまでには見られない感情の動きが瞳の奥に見えたってこと。これでも生き馬の目を抜く商社の世界でやってきた女よ。交渉相手のそういう感情の動きを鋭く察することができないと生き残っていけないのよ？」

なるほど。確かにそうなのかも。

「でも〈死神〉って言葉に反応したってことは？」

「その人も、〈死神〉に会ったことがあるってことじゃないの？　そして匂いが濃くなっているってことは、最近も会ったとかじゃないかってことよ！」

そうか。確かに。

「私の他にも死神さんに会ったことがある人がいてもおかしくないんだものね」

「もっとも〈死神〉ってたくさんいるって話なんでしょ？」

「そう」

「だから、あなたが会った〈死神〉と同じかどうかはわからないけどさ。ちょっと会ってみたら？」

「私が？」

その人に？

「可能性の問題よ。ひょっとしたらその人、〈死神〉を召喚する方法を聞いている人かもしれないじゃない。何度も会っているんだったらさ」

そうだった。死神は人の死の場面にしか現れない。でも、召喚する方法を知ることができれば、いつでも会えるって死神さんは言っていた。

「その人、ほぼ同年代よ」

バッグから何を取り出すのかと思ったら、名刺入れ。

その中から、一枚の名刺。奈々子のじゃない。

「これ、その人の名刺。M大の准教授をやっている翻訳家で、花井幸生(はないゆきお)さん」

花井幸生さん。

幸せに生まれる。

いい名前。

☆

ひょっとしたらそうなんじゃないかな、と思ってはいたんだけど。まさか、うちに迷い込んできた三人の子供たちが全員神様だったなんて。

しかも〈風神(ふうじん)〉だったなんて。

確かに〈子供は風の子〉なんて言葉もあるし、『風の又三郎』も子供だったし、風と子供は相性がいいのかもしれないけれども。

死神の幸生さんを呼んでみて正解だった。

このまま、僕の部屋で三人の小さな子たちが、小学校の低学年ぐらいの子供たちが住み着くようだったらどうしようかと思っていたんだ。

「済みませんでした。〈風神〉がご迷惑を掛けたようで」

「いや、迷惑なんかじゃなかったですけど」

子供たちは三人とも、何かあったの？　なんて顔をして死神の幸生さんが買ってきてくれた、美味しいチーズケーキを食べている。

「〈風神〉が人の前に姿を現わすのは滅多にないことなのですが、余程気に入ったのでしょうね。幸生さんを」

「どういう理由なんでしょうか。やっぱり僕があれだったからですか」

神様に遭遇してしまう性質を持った人間、らしい。死神さんの話によればだけど。

「そういうことになりますね。しかし、お久しぶりでした」

「そうですね」

前に会ったのは、五年ぐらい前かな。

僕は五年分年を取って三十過ぎてしまったけれど、死神の幸生さんは相変わらず、初めて会ったときのままの姿だ。まったく年を取らない。

「以前は、〈貧乏神〉でしたか。大事な〈神様の道具〉を落として、それを拾ってくれたのが幸生さんで」

あれもびっくりした。神様が自分の道具を落とすなんてことがあるのかって。そして〈貧乏神〉の〈神様の道具〉が茶碗とお箸だっていうのも、驚いたしちょっと笑ってしまったんだけど。でも、ぴったりだって。

死神の幸生さんが、ゆっくりと部屋を見渡す。1LDKの僕が住むマンション。

「幸生さんの部屋にお邪魔するのは初めてですね」

「そうですね」

死神の幸生さんに会うのはいつも外でだった。

「まだ、独身なのですね。そしてこの部屋にやってくるそういう女性もいらっしゃらないようで」

頷くしかない。

興味がないとか、独身主義だとか、そんなんじゃないんだけれども。

「何か、そういうのに縁がないんですよね。彼女が全然いなかったわけでもないんですけど」

「まぁ、人それぞれです。縁というのは確かにあるものだと断言できますし、一人で生きていくことが悪いことでもありませんから」

それはそうだろうけど。

「ところで、幸生さん」

「はい」

「少し、熱っぽいのではありませんか？」

「僕が？」

はい、って死神の幸生さんが頷く。

「申し訳ないことに、〈風神〉はいろんなものを運んできます。良きこともありますが、悪いものも。たとえば風邪の菌なんかも運んできてしまいます」

「風邪」

そういえば、さっきからちょっと身体が怠いな、気分が優れないな、とは思っていたんだけど。

「風邪引いたんですか僕は」

「その可能性が高いです。早めに病院へ行くことをお勧めします。何でしたらこれから一緒に行きましょう。いい病院を知っています。何せ私たち〈死神〉は病院には詳しいですから」

確かにそうかもしれないけど。

「いつも行くのは、いちばん近くの総合病院なんですけれど」

死神の幸生さんが、ちょっと首を傾げた。

「実は、申し訳ないことに〈風神〉たちはあなたの具合が良くなるまで、つまり病院に行って薬を貰うなり注射を打ってもらうなりしないとそばを離れないんです。自分たちのせいで風邪を引いたんだから見届けるとばかりにね。これぱっかりは私にもどうにもできないことでして。しかも、あなたのそばにいる限り、彼らはその姿が普通の人間にも見えてしまうのですよ」

そういうものなのか。

「つまり、病院に行くのにも彼らはついていってしまうので、小児科の病院に行くのがいちばん誰にも違和感を持たれずに済むのです。お父さんが子供を連れてきたという体です」

「小児科って、僕はこの通り三十過ぎた大人ですけど」

この子たちのお父さんというのは、まぁギリギリごまかせる年齢ではあるけれど。

「大丈夫です。そこの小児科病院には、私の姿が見える、私のことを知っているお医者さんがいるのです。何もかも承知して幸生さんの診察もしてもらえますから」


〈つづく〉

きたきた捕物帖　第四十五回

気の毒ばたらき

その十一

宮部みゆき
Miyabe Miyuki

イラスト：三木謙次

十一

冬木町（ふゆきちょう）のおかみさんは、北一（きたいち）と喜多次（きたじ）とシロとブチの頑張りを褒（ほ）めてくださった。

「いつか折があったら、あたしもシロとブチに会ってみたい。あんたの相棒の喜多さんに、よろしくお頼みしておくれ」

楽しげにそう言ってから、こう続けた。

「トミとイノと指南役（しなんやく）〈六卜屋（むとや）〉の男について、これだけ摑（つか）めたんだから、いったん沢井の若旦那にすっかり打ち明けなさい。それで、今後はどうするか伺わなければ」

これは北一には予想外の助言だった。

「でも、おいらたち二人でここまで探ってきたんですし、もう一押しでもっと詳しいことまでつかめそうですから……」

ちゃんと、自分たちの手で解決までこぎ着けたい。いや、どんな決着を以て「解決」とするのかは、さておいても。

しかし、おかみさんは首を横に振った。

「もちろん、ここまではあんたたちのお手柄だよ。だけど、指南役の男の言を聞いていると、これはどうやらそいつらの初めての悪事じゃないし、これを最後にするつもりもなさそうじゃないか」

確かに、

――次の的が決まったら、また繋ぎをとりましょう。

と言っていた。細かい銭勘定にうるさくて当然の質屋の〈六実屋〉の落ち着きぶりから推しても、連中が既にしてこういう悪事に手慣れていることはうかがい知れる。

「事は今回の深川の昼火事だけに収まらないのさ。以前から、そいつらは市中のいろいろなところへ正体を偽って出張っていって、火事見舞いにかこつけて大金や金目のものを盗んできたんだろう。いったい何年前からこの悪事に手を染めてきたのかわかりゃしない」

火事と喧嘩は江戸の華と（強がり半分で）謳われるほどに、江戸市中には火事が多い。指南役とその一味にとっては、それだけ狩り場が多いことになる。昨日は東、今日は北。明日は南で、明後日は西の外れ。商人や職人の住む町筋と、寺地と門前町、武家地では住まう人びとの種類も違えば暮らし向きも異なり、盗みの対象となるものも変わってくる。

「これまでは、その一つ一つがバラバラの盗みだと思われてきた事件が、指南役の男が束ねる一味という糸を通してみることで、次々と繋がってくるかもしれない」

その可能性が考えられる以上、もう北一が一人で抱えていてはいけない案件となった。

「北さんが頼りないとくさしているわけじゃない。たとえ千吉親分がこの件を扱っていたとしても、あたしは同じことを進言したろうし、親分はあたしの意見なんか聞く前に八丁堀へ馳せ参じていたと思うよ」

北一もそれはわかった。不満げな顔つきはしていない――はずだ。おいら、そんなガキみたいな真似はしねえ。

「承知しました。すぐ、沢井の若旦那にお目にかかって参ります」

韋駄天走りをご披露しようとしたら、ぐいと引き止められた。二人で冬木町の家の縁側に座って話をしていたのだが、このときのおかみさんの北一の肩口をつかむ手の動きの素早さ、的確さと言ったら、

——ホントは、ちょっとぐらい目が見えてるんじゃねえんですか。

と思ってしまうほどだった。

「気が早いねえ。用件はもう一つあるんだよ。まあ、お聞き」

北一の肩をぽんぽんと叩いて、

「この前、お染には子供がいたんじゃないか、その線を探ってみたらいいんじゃな

前回までのあらすじ

北一は、岡っ引き・千吉親分の本業だった文庫の振り売りをしている。「長命湯」で釜焚きをしている喜多次は、よき相棒だ。ある日、万作・おたまの文庫屋が火事になり、焼け落ちた。北一は、火をつけたのが女中のお染だと聞き、調べ始める。北一は喜多次から、湯屋の二階で火事について話す胡乱な輩がいると聞き、そこで張っていると、男たちが現われる。喜多次の協力を得て後をつけると、手下は飾職人と生薬屋の奉公人で、指南役の男は「六」のつく屋号の店の者だと判明する。

いかと話したこと、覚えているかい？」

　忘れるわけがない。指南役の男たちを追っかけるのに夢中で、まだ何も手をつけていないのはあいすみません。

「北さんに言いつけっぱなしで、こっちは何もしないのも横着だからね。あたしはおたまに会ってきたよ」

　北一はびっくりして舌が丸まってしまい、息が詰まった。おかみさんもその様子を見て取っているかのような心得顔で、北一が呼吸を取り戻すまで、間をおいて待っていてくれた。

「……おたまさん、解き放ちになったんですか」

「伝馬町の牢屋敷に放り込まれていたわけじゃないんだから、解き放ちって言い方はおかしいねえ」

　おかみさんは笑い、瞼を震わせる。

「あの子の口から、本所深川方の旦那がたに申し上げられること、お尋ねにお答えできることは、すっかり出尽くしたんだろう」

　文庫屋に火を放ったのは、お染に間違いない。これは他の目撃証人もいる。おたまは、文庫屋のおかみでありながら女中のお染の躾を怠り、火事という恐ろしい事態を招いたことの責を問われ、厳しいお調べを受けていたのだと、おかみさんは語った。

「これが男の奉公人の不始末だったら、問答無用で万作が連れていかれていたろう。台所女中の鬱憤晴らしのような悪さだったから、おたまが引っ張られたのさ」

女中の躾を怠ったという罪、か。

「万作さんとおたまさんは、もうお仕置きを受けることはないんでしょうか」

「どうにか過料で済むように、地主さんたちが御番所にお願いしてくれるそうだよ」

罰として、金子を納めるのか。

「大枚になるんですかね」

「小火じゃなかったんだから、それなりの額だろう」

実のところ、おたまは一昨日の夕方には帰宅を許されていたそうなのだが、本人のたっての希望で万作たちのいる仮住まいではなく、自分の実家に帰っていたのだという。

「実家は業平橋のそばで、瓦焼を生業にしているんだそうでね。とはいえ、おたまの両親はもう亡くて、兄さん夫婦の代になっているから、やっぱり、のんびり骨休めというわけにもいかなかったんだろう。一晩あっちに泊まって、昨夜だいぶ遅くなってから仮住まいに戻ってきたって、富勘さんが知らせてくれたから」

早々に顔を見てきたのだという。

「まさか、おかみさんお一人で？」

「おみつと、あの子のいい人がついてきてくれた」

おかみさんはまた笑顔になった。

「松吉郎って、いい男だねえ」

ああ、それなら安心だった。

「万作たち一家の邪魔をしたくなかったし、おたまに訊きたいことは決まっていたから、長居するつもりはなかったんだけど」

おかみさんが仮住まいに顔を出したとき、万作も文庫屋の奉公人や職人たちも、まるでお通夜でもやっているかのように陰鬱で冷ややかな空気のなかにどっぷり浸かっており、

「やっと亭主と子供らのところに帰ってきたっていうのに、おたまは針の筵の様子だったよ。一晩だけでも、実家に逃げたのがいけなかったのかねえ」

そのへんの機微は、北一にはわからん。

「子供たちは、母ちゃんの顔を見られて嬉しかったでしょうに」

「当の母ちゃんが幽霊みたいに打ちひしがれているから、なんともねえ」

幽霊みたいに萎れているおたま。北一には想像もつかない。

「万作さんもおたまさんも、文庫屋の連中で誰か、おかみさんに火事見舞いのお礼

を言う奴はいましたか」

　おかみさんは、仮住まいが出来上がるよりも前に、ちょっとでも足しになるだろうからと、ちょっとどころではない金子を万作に包んで渡していたのだ。

「みんな、それどころじゃないようだった。奉公人や職人たちがしぃんとしているのは、万作とおたまの様子に引っ張られているからだろうけど、もう火事は消えているのに、きな臭くって困ったよ」

　おかみさんは気を悪くしたふうではなく、気の毒がっているように眉をひそめていた。

「ともあれ、おたまとは話ができた」

　おかみさんは、鼻からふうと息を吐く。

「あの子は番屋のお取り調べでも、お染がお店の金を盗もうとしたことも、芥箱に火を点けたその場を見たことも、ありのままに言上したそうだ。手の込んだ嘘をつき通せる気質の子じゃないから、あたしもそれはまるごと信用している」

　問題は、その理由の方だ。

「お染の盗みの場を押さえたとき、おたまはもちろん問い質したんだって」

　するとお染は、「借金があるんです」と答えたという。

　――あんたがいつ借金なんかこしらえたっていうのさ。

──ずっと隠していたんです。あいすみません。

──お店の金を盗もうなんて、打ち首になるよ。わかってやっているのかい。

──それでも借金は返さないといけません。おかみさん、後生ですから、あたしに金子を貸していただけませんか。

──何を寝言を言ってるんだ。あんたなんか、もううちに置いておかれない。荷物をまとめて出ておいき！

おたまは、火事になる二日前に、お染に暇を出していたのだ。

「それは今まで話に出ていませんでしたね。万作さんも言ってなかった」

「万作は、おたまが本気でお染を追い出すとは思っていなかったようだから」

しかし、おたまは本気だった。お染には、こう言い渡していた。

──行き先のあてができるまで、二、三日は待ってやる。それ以上居座るようなら、身一つで叩き出すからね。

「言われたお染の方も、おたまの勘気を解くのは難しいと悟ったんだろう。身の回りのものをまとめたりしていたようだ」

「だけど、文庫屋を追い出されるなら真っ先に相談を持ちかけそうな富勘や、居候させてもらえそうな煮売り屋のお仲さんには、何にも言ってねえ。おかしいですよ」

お仲なんかお染に、以前から、文庫屋の奉公をやめて一緒に煮売り屋をやろうと誘っていたのだ。真っ先に転がり込んだって、歓迎されこそすれバチは当たるまい。

「そこだよ、北さん」

おかみさんはまた、本当にぜんぜん目が見えていないのか怪しまれるほど的確な手つきで、北一の肩を軽く叩いた。

「お染には、ほかのあてがあったのさ。お染が盗みを思いつくほど切実に金を必要としていた理由も、そのあてにあったと思うよ」

北一はおかみさんの顔を見た。北一の目を受けて、おかみさんのすべすべした瞼がちょっと震える。

「それがお染さんの子供――ですかい」

おかみさんはうなずく。「あたしはそう思うから、おたまに訊いた」

――おたま、あんたはこれまでに、お染から子供の話を聞いたことはあるかい。あるいは、お染は黙っているけれど、実は子供がいるんじゃないかと感じたことはなかったかい？

おたまはこれでもかというほど深く口をへの字に曲げて答えたそうだ。

――存じません。

「あの意固地で意地悪なおたまらしい、ばればれの嘘だったよ」

あの口つきだもの、決まってる。

「まあ、沢井の若旦那にはおわかりにならなかったろうけれど、あたしにはわかります」

おたまは、お染の子供のことを知っているに違いない。

「あの子があのくそ憎たらしい口つきをして『知らない』というときは、知ってるんだよ。なにしろ根性曲がりなんだから」

おかみさんがこんな遠慮のない言い方をするのは珍しく、北一は面食らった。だけど、不思議なことに嫌な感じはしない。むしろ、おかみさんがおたまに対して抱いている親しみみたいなものが感じられるような気がした。

——あの子、という呼び方だって。

おみつを呼ぶときと同じだ。

そうか……と、北一は思い当たった。

「おかみさんは、おたまさんが万作さんのところに嫁いできたころからご存じなんですもんね」

北一の言に、おかみさんはふと、遠い物音に耳を傾けるみたいに小首をかしげた。

「千吉親分が持ってきなすった縁談だったけど、あたしは最初、反対したのさ」

おたまに可愛げの欠片もなく、どこからどう見たって、いい嫁になりそうもなかったからである。

「だけど、万作は妙におたまを気に入ってね。当の千吉親分まで、そこまで気に入るとは思わなかったと言い出すくらい」

親分とおかみさんは、万作の胸の内を聞いてみた。すると万作は訥弁に、ぼそぼそとこう答えた。

――実家で、あんまり大事にされてねえ娘の方が、俺になじんでくれそうな気がします。

その言は、北一の胸にもじんわりと染み込んできた。

親に大事にされて育ってきた娘では、自分の女房になることに幸せを見出せまい。親に粗末にされてきた娘の方が、自分とうまくやっていってくれるだろう。これは、ずいぶんと己を卑下した考え方だ。

しかし、いかにも万作らしい。

男にも女にも好かれ頼られ、人を束ねることにも、揉め事を丸めることにも長けていて、誰からも慕われ仰がれていた千吉親分の下にいて、少なくとも文庫売りの商いについては一の子分だった万作は、外見も中身もおよそ親分とは正反対だった。そしてそのことを、本人もよく心得ていた。

――いい嫁になりそうにねえ女の方が、俺には釣り合ってます。

こうして、おたまは万作のもとに嫁いできた。おたまは口にも棘があり、ちょっと気に入らないことがあると人前でも甲高い声で万作を叱りつけたが、万作が怒り返すことはなかった。おたまが万作を叩くことはあっても、その逆はなかった。

夫婦のあいだに子ができると、万作はまめまめしく世話をした。おたまよりも、万作の方が子煩悩だった。

北一の頭のなかに、深川元町の文庫屋に住み込んでいたころのことが、ほろほろと浮かんできた。おたまの癇癪みたいな声は耳に刺さったし、ねちねちした嫌みは胃の腑にもたれた。万作・おたま夫婦に関わったことで、いい思い出はない。いちばん良くて、黙殺だった。北一は床下を這いずるドブネズミみたいな扱いを受けていた。

だけど、万作が本気でおたまを怒るとか、叱るとか、突き放すような態度をとるところを見たことはない。逆におたまは、ちょっとしたことでも感情を逆立て、万作につっかかったり喚いたり、いつもいつもうるさくて、聞いてくれる相手には誰にでも、無口で気の利かない亭主の悪口を言い並べていたけれど、

――万作さんのそばから離れようとすることは、いっぺんもなかった。

強いて言うなら、今度が初めてだ。一泊だけだけど、実家に逃げたのだから。

「おいらにはちょっくらちょっと信じられねえ、あり得ねえことだけど、もしかすると、おたまさんはお染さんをかばっているんですかね」

考えていることがそのまま、北一の口から漏れ出てしまった。

「理由は見当もつきません。ただ番屋でも、おかみさんに問い質されても、おたまさんはお染さんとのあいだにあった本当のことを隠していて、お染さんをかばってる」

そして、万作がそんなおたまを責めないのは、それと承知しているからだろう。

「だけど、今度ばかりは事が大きすぎて、万作さんの心のなかにも、割り切れねえものが生まれてるんでしょう」

――おたま、なんで八丁堀の旦那にまで本当のことを申し上げないんだ。何から何までお染一人のせいなのに、どうして肝心なところで口をつぐんで、かばい立てしてやるんだ。

「お互いにその思いがわかるから、おたまさんは実家に逃げちまったし、万作さんはつい態度が冷たくなってる」

だけど、万作はおたまを案じていた。本当なら自分が番屋に行くべきだとも言っていた。万作は文庫屋の主人として、子供らの親として、おたまの亭主として、不安を堪えながらも揺れている。

「おたまは手強い岩壁だけど、万作はおからを固めた壁だよね」

言って、おかみさんは微笑した。面白がっている笑いではない。温かみと苦みのある笑みだった。

北一は言った。「今夜、おたまさんと子供らが寝ちまったあと、万作さんに夜鳴き蕎麦でもおごって、ちょっくら話をしてみます」

北一の誘いに万作が乗ってきたら、それだけでもまず、この推測は大外れではないとわかる。これまでずっと、ドブネズミには見て見ぬふりを決め込んできた万作が、ちゅうちゅうという鳴き声に耳を傾け、こっちに目を向けたわけなのだから。

「念には及ばないけれど、穏やかにね」

おかみさんの助言に一つ礼を返して、北一は縁側を離れた。軽く肩を叩かれたときの感触を、よく胸にたたんでおこうと思った。

しかし、この夜の北一が、万作と並んで夜鳴き蕎麦をたぐることはなかった。

陽がすっかり暮れきる前、大川の川面のさざ波に宵闇と夕焼けの茜色が入り交じってはじけるころ、無残な土左衛門と化したお染が、百本杭に引っかかっているところを発見されたからである。

〈つづく〉

松籟邸の隣人

第十五回

第十三話　因果のヒットマン

宮本昌孝
Miyamoto Masataka

「九月からかね、物理学校は」

「はい。伯父上にもご心配をかけ、申し訳のないことです」

「わしは何の心配もしとらん。才のない者なら進むべき道は限られるが、優秀な若者の前途は幾筋もある。いまは悩んで、迷って、試したいことを恐れずに試してみる時期と思っておればよい」

茂の母・士子の姉婿で、茂にとっては後見人でもある上郎幸八の笑顔は温かい。

茂は昨年、七月に日本中学校を退校し、九月に東京高等商業学校へ転じたが、わずか二ヶ月でまた退校し、正則の尋常中学校へ入り直した。商業学校の学問が茂には簡単すぎて、つまらなかったのだ。

そして、今年の明治二十九年三月、満十七歳と半年で尋常中学校を卒業した。この夏が終わって九月になれば、神田小川町の東京物理学校に入学する予定だ。後年の東京理科大学の前身である。

「しかし、暑い」

幸八は、扇子を開いて、おのが顔を扇ぎはじめた。

新橋駅の上等待合所は、窓が開け放たれているものの、駅構内の人いきれも加わって、夏の日中はやりきれない。いまは風がほとんど吹いていないので、なおさらだ。

「もっと打ち水するよう、駅員に申しつけてきます」

立ち上がろうとした茂だが、よいよい、と幸八に制される。

「楽しみですな、江の島見物が」

「それより、思い切り泳ぎたいものだ」

待合所へ、和装の男ばかり十人余りの一団が、がやがやと入ってきた。

「どっちも御免だね。おれはずっと東屋で、朝からこれさ」

と言った者は、酒を呑む仕種をする。

「あ……」

一団の中に、新聞で顔写真を見たことのあるひとがいて、誰であるのか、茂はすぐに分かった。

「尾崎紅葉だ」

当代随一の人気小説家である。つい先頃も読売新聞で連載を了えたばかりの『多情多恨』が評判を呼び、九月からその後編を始めると伝わっている。

「あれは硯友社の面々だな。藤沢まで行くのじゃろう」

と幸八が茂に小声で言う。

硯友社というのは、尾崎紅葉を頂点とする文学結社で、画家や編集者なども参加し、いまや同人二百名ともいわれて文壇の一大勢力となり、羽振りがよい。

湘南に多くの土地を持つ幸八は、かれらが江の島を間近に望む鵠沼の旅館〈東屋〉を拠点に大いに遊ぶことを、知っていた。鵠沼へ行くには藤沢駅で下車する。

幸八が懐中時計で時刻を見た。

すると、待合所へ夏用の紺セルの制服、制帽姿の駅員が入ってきて、振鈴を鳴らした。発車五分前である。

「きょうも一秒と違わぬな」

幸八と茂は、待合所の椅子から立った。

改札を通って、停車場へ出ると、後ろから駆けてきた男の子に膝のあたりにぶつかられ、幸八がよろめいた。

男の子はそのまま先頭の機関車のほうへ走りつづける。近くで見たいのだろう。

このとき、茂より早く手を差し伸べて、幸八を転倒から救ったのは、着流しに草鞋履きの男である。

「かたじけない」

幸八が礼を言うと、男はアンペラ帽子の端をちょっと摘み、軽く会釈を返した。

熱帯地方の草であるアンペラの茎で編まれたのがアンペラ帽子で、単にアンペラとも称ばれる。天人が愛用するパナマ帽ほどに高価ではないため、男の夏帽子のひとつとしてよく見かける。茂も、いまでは天人から贈られたパナマ帽を好んでお

前回までのあらすじ

吉田茂は父・健三が亡くなったため、若くして吉田家の当主になる。吉田家の別荘・大磯の松籟邸で過ごした年の夏、茂は母から実子でないことを聞かされ、ショックを受ける。通っていた耕餘塾を卒業し、東京の中学に入り直すことになった茂は、実父の竹内綱の屋敷に住み、学生生活を送っていた。日清戦争の勝利で日本全体が浮かれるなか、茂は大磯へ戻り、外相・陸奥宗光が療養している聴漁荘を訪ね、隣人で友人の天人と陸奥宗光夫人・亮子の馴れ初め、そして大磯での再会について話を聞く。

り、きょうも被(かぶ)っている。

無言で離れてゆくアンペラ男に、茂はぞくりとした。ちらりと見えた帽子の下の顔は、鬢(びん)に白いものが交じっていて若くはなさそうだったが、怖(こわ)いと感じたのだ。確かな理由はなく、なぜか、としか言えない。

「どうした、茂くん」

上等車の乗降口へ向かって歩きだしていた幸八が、止まって、振り返る。

「なんでもありません」

アンペラ男が下等車に乗り込むのを見届けてから、茂も上等車両へ身を移した。

茂は、尋常中学校卒業後、東京と横浜で遊んでいる。ときには広志(ひろし)を招(よ)んだ。といって、勉学を忘れてはいない。ゆったりした時間の流れの中で、様々な分野の書に親しみ、知識を得るのも愉(たの)しいことだった。

それでも、夏はやはり大磯(おおいそ)で過ごしたい。

ただ、大磯へ帰る前に、後見人の幸八に相談事があった。東京では実父・竹内綱(たけうちつな)の飯倉片町(いいくらかたまち)の屋敷内に建てた別棟(べつむね)に暮らし、兄弟姉妹とも交流して、それはそれで悪くないのだが、煩(わずら)わしいときも少なからずある。吉田健三(けんぞう)・士子夫妻に一人っ子の若様(わかさま)として育てられたせいかもしれない、と自己分析している。それで、竹内屋敷を出て別の地に自邸を建てたいと考え、東京の不動産や建築事情にも詳しい幸八を横浜の上郎家に訪ねて、思いを打ち明けたのだ。

二つ返事で引き受けてくれた幸八が昨日、東京の土地を見に行こうと言うので同行すると、どこでも気に入ったところに自邸を建てればよいと言って、麻布（あざぶ）から渋谷（しぶや）にかけて歩いてまわった。

茂が気に入ったのは、広尾（ひろお）である。

「やはり父子（おやこ）だ。健三さんも、いずれ広尾に屋敷を構えようと期していたのだよ」

幸八はそう明かしてから、茂が思いもよらなかったことを告げた。

「このあたりは、茂くんの土地だ」

「えっ……」

「生前、健三さんは麻布から渋谷にかけて広く土地を買っておいたのでな」

健三の莫大（ばくだい）な遺産を受け継いだ茂だが、若様らしく、そういうことには無頓着（むとんちゃく）なので、その総額も内容もまったく知らないし、知りたいと思ったこともない。すべては幸八と士子に任せっきりなのだ。

「茂くんがここにどんな邸宅を建てたいか、それだけ言ってくれれば、あとはわしがすべて手配しよう」

その足で、ふたりは竹内屋敷へ行き、綱へ正直に茂の思いを吐露（とろ）して納得（なっとく）してもらってから、本日、新橋より陸蒸気に乗った次第である。近いうちに、そちらへ行くゆえ、士子さんにはわしからも話そう」

「この夏は大磯で仕事が山積みでな。近いうちに、そちらへ行くゆえ、士子さんにはわしからも話そう」

横浜駅が近づいてきたところで、幸八が言った。

「助かります。このところ、ぼくが学校をころころ移っているだけでも、母は本当はお気に召していないと思うので」

「さようなことはあるまい。士子さんは甘いところをおみせにならぬだけで、実は茂くんがみずから望んでやることを、ひそかに愉しんでおられるように、わしには思える」

「そうでしょうか」

「何も案ずることはない」

幸八は横浜駅で下車した。

ひとりになって、ちょっと眠ろうかと思った茂だが、

「そういえば、伊藤首相が滄浪閣を小田原から大磯へ移すらしい」

と同じ車内の硯友社の誰かが言ったので、聞き耳を立てた。かれらは、新橋出発以来、様々な話題を論じ合っている。

「まあ、このところ追い詰められて、ご多忙だろうから、小田原では不便なのだ

な、きっと」

伊藤博文首相は、議会対策の上で自由党や改進党と結んで挙国態勢を整えようとしたが、同じ長州出身の山県有朋や、薩摩派ら藩閥勢力の反感を買い、複雑な権力闘争に明け暮れざるをえない日々を送っている。

東京に私邸をほとんど持ったことがないため、伊藤は在京中は霊南坂の官邸を利用するのが常で、できる限り、滄浪閣と名付けた小田原の別荘へ帰る。だから、滄浪閣が事実上の本邸なのだ。だが、この頃の東海道線は国府津から御殿場回りなので、小田原では交通の便が悪く、東京と頻繁に往来できない。そこで、伊藤は東京寄りの大磯に転居することにきめた。

世間にはそう伝わっているらしい。

それも理由のひとつではあるのだが、伊藤が明治二十三年から足かけ七年も住み慣れた小田原を去るにあたっては、松本順の画策も裏にあったことを、茂は知っている。順は、陸奥宗光夫人の亮子に頼んで、それとなく伊藤夫人の梅子に大磯転居を勧めさせたのだ。

折しも、かねて順から転地療養の効用を説かれていた陸奥が、先んじて大磯に別荘を建てた。これをうけて、梅子が伊藤を口説いたに違いない。伊藤にとっては、父の十蔵が今年の三月に小田原の居宅で死去したこともあり、転居にはちょうどよい頃合いだったのだろう。

(伯父上はお忙しいだろうなあ……)

幸八は大磯で仕事が山積みと言ったが、このことが関わっている。西小磯の稲荷松に所有の土地を伊藤に売っただけでなく、相手は日本国の総理大臣だから、建築の準備なども含めて、煩瑣なことはすべて引き受けたのだ。また、同じ稲荷松で、やはり幸八の売った土地に、旧佐賀藩主・鍋島直大も別荘を建てることになっているため、こちらも同様に手抜かりのない差配を求められる。いずれも今年中に落成させるらしい。

幸八をみていると、商業学校をすぐに辞めたことを、いまでは良かったと心より思える茂だった。自分はとてもビジネスには向いていない。

(でも、松本先生や伯父上のおかげで、大磯はいよいよ華やぐ)

いささか騒々しかった硯友社の一団は、幸八の予想通り、藤沢で下車した。

藤沢の次の停車駅は平塚。さらに西へ進んで、花水川の鉄橋を渡って、大磯へ入る。化粧坂の踏切を越え、三沢川を跨げば、大磯駅である。

陸蒸気が到着すると、大磯の停車場はあっというまに賑やかになった。鉄道の開業当初は小さかった客車も、いまではボギー客車という大型のそれを幾両も連結しているので、多くの乗客を運べるようになったのだ。来年から尾崎紅葉が書き始めることになる『金色夜叉』には「機関車に烟を噴せつつ、三十余輛を聯ねて」と描かれている。

別荘族と海水浴客たちは皆、愉しげに改札をめざす。

茂は、いつものように、慌てることなく上等車両から降り、ほかの客の大半が停車場より捌けてから、改札へ向かった。すると、同じく、ひとり離れて、ゆっくりと足を運ぶ者が視界に入った。

（新橋駅の……）

転びそうになった幸八に手を差し伸べたアンペラ男である。

俯いているので表情は窺えないが、茂はまた、なぜか怖いと思った。

茂は、アンペラ男より先に、改札を出た。

「若様。お帰りなせえ」

健三が大磯で遊んだ頃から馴染みの車夫のどんじりが、饅頭笠の下の顔の汗を拭いながら寄ってきた。いま陸蒸気に乗る客を運んできたばかりのようだ。

「書き入れ時だね」

と茂は言った。

「へえ、おかげさまで」

「いいかい」

「もちろんでごぜえやす」

どんじりが、俥の胴に取り付けてある日除けの幌を上げて、座席を覆う。

茂は、俥の蹴込みへ足をかける前に、周囲を見渡した。アンペラ男のことが気になったのだ。

茂より少し後れて改札を出たに違いないから、まだ駅前にいると思ったのだが、見当たらない。さきほどとは打って変わって、にわかに速く動いたのだろうか。だとすれば、薄気味悪い。

（まあ、ひとは見かけによらないからな）

見た目は強面なのに、接してみると、存外、穏やかでやさしかったりすることなど、めずらしくもない。とっさに幸八を転倒から救ったアンペラ男も、そういう人間かもしれないではないか。

「若様、参りやすよ」

どんじりが、梶棒を水平に上げてから、少し首を回して告げた。

「やっておくれ」

俥が動き出す。

人力車の車輪も、鉄輪製だった頃は、引けばガラガラと大きな音を立ててうるさかったが、いまでは棒ゴムタイヤなので、随分と静かになった。

その代わりでもあるまいが、どんじりが声を張って歌い始めた。

　夏はうれしや
　二人そろって鳴海（なるみ）の浴衣（ゆかた）
　うちわ片手に橋の上
　雲が悋気（りんき）して月かくす
　ちょいとほたるが身をこがす

「それ、『四季（しき）の歌』だろ」

茂は言い当てた。

「若様もご存じで」

「そりゃ知ってるさ、平吉（へいきち）さんが作ったんだから」

西小磯出身の演歌師（えんかし）・添田（そえだ）平吉の作詞、作曲による。日清（にっしん）戦争の勝利後、戦前に作られた戦意昂揚（こうよう）の『士気（しき）の歌』をもじったらしい。春の花見、夏の蛍（ほたる）、秋の月見、冬の雪見に色恋をからめたもので、いかにも反骨（はんこつ）精神旺盛（おうせい）な平吉らしい。いま、庶民の間で流行（はや）っている。

「じゃあ、春から歌って差し上げやしょう」

「こっちは男ひとりの客なんだ。羞ずかしいだろ、ばかやろう」

「お懐かしや、お父上の口癖だ。そっくりにあられやすぜ。若様、もういっぺん、聞かせておくんなせえ」

気の措けない友人や、可愛がっている年下の者を、ばかやろう、と健三はよく罵ったものだ。そこには愛情がこもっていたから、言われたほうは喜ぶのが常だった。

茂も、健三の生前には、幼くとも自然と真似て、よく使っていたが、その死後は強いて発しないようにしてきた。父の俤が過って、ちょっと悲しくなるからだ。

だが、最近は、知らず知らずのうちに、口にしてしまうときがあっても、父子って似るのだなあと、むしろ心地よくなる。少しはおとなになったのかもしれない。

どんじりが、ばかやろうを欲して、幾度も振り向くので、茂は、言うとみせてから、そっぽを向いた。

「若様、そりゃ殺生ですぜ。こうなりゃ、仰って下さるまで……」

どんじりが、にわかに跣足袋の足を速めた。

俥が跳ねて、尻の浮き上がった茂は、急いで肘掛を摑んだ。

「わかった、わかった」

「聞こえやせん」

「ばかやろう」

「ありがてえ」

速度を落とした俥は、愛宕神社の脇の新道を抜けて、二号国道へ出ると、茶屋町から鴫立橋を渡って台町へ入り、東小磯へと進む。

（もっと早く帰ればよかった）

聴漁荘へ至る小道の出入口を横目に眺めながら、茂は悔やんだ。

いま陸奥夫妻は大磯に不在である。陸奥が正式に外務大臣を辞任し、先月の六月下旬、妻の亮子とともにハワイへ旅立った。これもまた陸奥の療養のためであるという。その事実を、茂は夫妻が横浜を出港してから知ったのだ。

ハワイという国は、熱帯圏なのに、寒流と北東の貿易風とで暑さが和らげられ、一年中、気候温暖で過ごしやすいそうで、太平洋の楽園と称ばれている。アメリカ合衆国に併合されるのは、二年後のことだ。

帰国予定は八月中旬というが、陸奥の体調次第だから、確かではない。

（どうかお元気になって、予定通り、ご帰国されますように）

祈ることしかできない茂である。

俥が西小磯へ入り、切通橋の近くまで行くと、黄色い声が聞こえた。

「とらうとらうひふくめ」

何かの宣言のように高らかだ。

橋上の童たちが一斉に動き出し、同時に数も数え始める。

「いぃち、にいぃ、さぁん、しいぃ……」

歓声とも悲鳴ともつかぬ声だ。

数珠つなぎになった七、八人の童は、土埃を舞い上げて、右に左にうねうねと動く。対して、ひとり離れて立つ男の子が、数珠つなぎの列の後ろへ回り込もうと動くのだが、列の先頭で両手を広げる少女は、これを阻止しつづけている。

その少女は、ひとり際立って可愛らしい。

茂は、橋の手前でどんじりに俥を停めさせ、下車して、童たちの遊戯を眺めた。

「『子をとろ子とろ』でございやすね」

親役の子を先頭に、すぐ後ろの子は親役の肩か腰を持ち、後続の子らも前の子に対して同様にして一列に連なる。

鬼役の子は、最後尾の子に触れることができれば勝ち。親役とその子らは、禦ぎきれば勝ちとなるが、躱している途中で一度でも列が切れてしまうと負けだ。

むろん時間を区切る。だから、橋上の子らは数を数えている。それが十なのか、二十なのか、三十なのか、事前の協議できめる。

この「子をとろ子とろ」は、童の遊戯として平安時代から親しまれ、古称を「比比丘女」という。

「にじゅうはち、にじゅうく、さんじゅう」

　親役と子らは、さんじゅうと発し終わった直後、列を解いて、息を切らしながら手を拍ち、大笑いをする。鬼の魔手から逃れ切ったのだ。へたりこんだ鬼役の男の子は口惜しそうである。

　茂の見たところ、親役の可愛らしい少女の守りと誘導が巧みだった。

「やあ、ローダ」

　その少女は、シンプソン家の家令マイクの孫娘である。

「茂っ」

　ローダは、走り寄ってきて、茂に抱きついた。五年前の初対面のときから、なぜか茂はローダのお気に入りなのだ。

「すごいぞ、ローダ。みんなをよく守ったね」

「これ、得意だもん」

「そうなんだ」

「天人ならチャンチャン横丁よ」

　天人が屋敷にいるかどうか、茂が訊ねる前に、ローダは察して、そう言った。聡明な子なのだ。

　台町から浜辺へ出る小道のひと筋が、江戸時代からチャンチャン横丁と称ばれている。別荘地開発以前は、そのあたりの砂丘に無縁塚があって、身元不明の行き倒れや水難者を葬り、チャンチャンと鉦を叩いて冥福を祈ったことが、名称の由来らしい。

「じゃあ、サンド・スキーだ」

茂が言い、ローダも、うん、と頷く。

尻に松葉の枝などを敷いて砂丘を滑り下りる遊びを、天人はサンド・スキーと称し、地元の子どもたちと愉しむのだ。茂も幾度もやっている。

「いっしょに行こ」

ローダが茂の手をとり、いままで遊んでいた童たちへ、またね、と手を振った。一斉に上がった引き留める声にも、ローダはお構いなしだ。その時々の自分の望みを優先するところは、アメリカ暮らしの長かった家族と天人の影響なのかもしれない。

茂は、懐から東京土産の缶入りドロップスを取り出し、橋上に残った童たちに、そのままあげた。

「みんなで分け合って食べなさい」

横浜の菓子舗がアメリカ製ドロップス製造機を輸入し、東京の分店で昨年より製造販売を始めている。実は、母の士子と、執事の北条ら松籟邸の奉公人のために、茂が二缶購入してきたものだ。

　わあっ、と童たちは大喜びである。

「どんじり。台町まで戻ってくれ」

「お安い御用で」

　俥は一人乗り用だが、小柄な茂と少女のローダだから、窮屈さもなく座席に収まった。

　二号国道をチャンチャン横丁の出入口付近まで戻ると、松葉の枝を担ぎながら出てくる子どもたちが見えた。どうやらサンド・スキー遊びは終わったらしい。

　茂とローダが下車したとき、ぱんっ、という乾いた音が聞こえた。

「また村田少将さまにござえやしょう。別荘に来てまで小銃のご研究とは精の出るこって」

　なんでもないことのように、どんじりが言った。

　近くに村田経芳・陸軍少将の別荘があるのだ。日本最初の国産制式銃である十三年式村田銃の開発者で、その後も小銃の改良と研究に没頭しつづけており、静養目的のはずの別荘でも、庭に置いた大きな鉄板めがけて試射をするのがめずらしくない。人けのない頃合いを見計らって、浜辺で射撃することもある。

「ライフルじゃない。ピストルの音」

と断言したのは、なんとローダだった。

ライフルが小銃、ピストルは拳銃のことだ。

(村田少将はライフル専門で、ピストルの開発はしていないはず……)

天人なら五色の小石荘にピストルを所有しているが、子どもたちと遊ぶときに携行するのはありえない。

「どんじり。ぼくが戻ってくるまで、ローダを頼む」

「どうしなすったんで」

「頼んだぞ」

念押しして、茂はチャンチャン横丁へ走り込んだ。

天人が大磯に住むようになってから、この地では、表向きにはならないものの、幾度も危険を孕んだ事件が起こっている。もしや天人が撃たれたのでは、と胸騒ぎをおぼえたのだ。

かつてマイクが明かしてくれたところによれば、天人はアメリカの富豪キャシディ家の跡取りのブラッドを殺している。それは、極悪非道のブラッドによって地獄の境涯に落とされたマイク一家を救出するためだった。

ブラッドの父ジョサイアは、ピンカートン探偵社を使って息子殺しの犯人を突き止め、以後、天人とマイク一家の行方を探索させた。ピンカートン探偵社につとめた経験をもつ天人は、常にそのやり方の裏をかいて、自分たちの居場所を決して見つけさせなかった。それでも追跡の手が徐々に迫ってきたので、天人は日本へ逃れ、大磯に屋敷を建てて、マイク一家も呼びよせたのである。いかにアメリカの富豪と探偵社でも、法を含めて何もかも事情の異なる日本では好き勝手はできない。

また、茂はいまでは、天人は日本において力あるひとたちと繋がっているに違いない、と独り決めに思ってもいる。この想像が正しければ、日本国内ではキャシディ家絡みで天人に危険が及ぶことはないのではないか。

ただ、キャシディ家絡みでなくとも、天人の謎の部分が災厄を招くとも考えられよう。

(けど、天人は強い。どんなことでも、きっと跳ね返す)

茂は、幅二メートルほどのチャンチャン横丁を一気に駆け抜け、砂丘へ躍り出た。勢いあまって、つんのめり、顔から砂地へ突っ込んだ。懐中からドロップスの缶も飛び出た。

夏の暑熱に灼かれた砂は熱い。慌てて、顔の砂を払い落としながら立ち上がったが、すぐにまた突っ伏す。というより、何者かに無理やり倒されたのだ。顔だけ上げた。

「茂。凝っとしていなさい」

天人も、深く折り敷き、上体を前屈みにして、あたりの様子を窺っている。

茂の耳に、波音と、規則正しい天人の息遣いが聞こえる。

そのまま、じりじりするような時が流れる中、茂の頬に何かが落ちた。

天人の顔をあらためて仰ぎ見る。

その額に、赤い筋がついていて、裂傷と見える。茂の頬に落ちたのは天人の血だったのだ。

愉しげな人声が聞こえてきた。浜辺に遊ぶひとたちだろう。

「去ったようです」

天人は、茂の腕をとって、ともに立ち上がった。

「天人。額に傷が……」

「銃弾がわずかに掠っただけです」
五、六メートル離れたところに転がるパナマ帽を、天人は拾い上げた。破れている箇所がある。
「腕は確からしい」

銃弾による破損箇所を指で触りながら、天人は他人事のように言った。

実は、天人が海に向かって深呼吸した瞬間に、銃弾が飛んできたのだ。頭をちょっと動かしたおかげで、逸れてくれた。

「天人は撃ったやつを見たの」

茂が訊くと、天人は頭を振った。

「松林の中から撃ったと思われますが、姿までは。きっとこういうことに熟れた者でしょう。アメリカで言うところのヒットマンかもしれない」

「ヒットマンって……」

「人殺しをビジネス、つまり稼業とする者です。日本語に訳すなら、殺し屋といったところでしょうか」

「それなら、すぐに見つかるよ。東京、横浜ならともかく、大磯で外国人を見かけるなんて、まだ滅多にないから」

「ヒットマンが日本人なら、容易には見つかりません」

「日本人でそんなことする人間がいるのかなあ」

幕末には暗殺が横行したが、それらは皆、政治上や思想上の主義、立場などの対立が原因であり、金尽くの殺人は聞いたことがない。前時代までの辻斬りにしても、刀の斬れ味やおのれの技量を試すのが主たる目的だった。金銭と引き換えに誰彼なく殺すというのは、もはや人間の所業ではあるまい。

そう考えたそばから、茂はアンペラ男のことを思い出した。

「無闇にひとを疑うのはよくないと思うけど、ぼくにひとり、心当たりが……」

翌日から、天人は大磯の海に、山に、独りで出かけ始める。海なら、海水浴場の照ケ崎へは行かず、時分によって人けの絶える浜を選んだ。山も、行楽地とされる場所は避けた。ヒットマンを誘き寄せるためだ。

だから、同行を許されなかった茂だが、アンペラ男のことは天人に話した。なぜか怖いと感じたことも。

「予断はよくないけれど、茂の勘は心に留めておきましょう」

と天人は言ってくれた。

茂も、独りで、大磯じゅうにアンペラ男の姿を探した。いつもなら大磯では何事であれ行を共にする広志にも、この件ばかりは明かさなかった。相手がピストルを所持しており、命の危険に関わるからだ。

ところが、その途次で広志に見つかった。

大磯へ帰ってきたはずの茂が遊びの誘いに来ないので、不審に思った広志は、松籟邸を訪ねたのだ。執事の北条は、茂は広志と一緒だとばかり思っていた。それで、広志は茂の姿を探し、二号国道上で出くわしたのである。

仕方がないので、茂は、天人の過去の諸々の事情は伏せて、天人が何者かに命を狙われていて、それと見当をつけた男が大磯に潜んでいるようだ、と正直に広志へ明かした。

「水臭いじゃないか、吉田くん。そいつ、一緒に探そうぜ」

「見つけても決して近づかないこと」

「分かってるよ。おれだって、飛び道具は怖いからな」

天人が襲われることなく、二日が過ぎた。

茂と広志にも収穫なしである。

旅館を片端からあたって、疑わしき男を幾人か盗み見るなどしたが、いずれもあのアンペラ男ではなかった。要心深いのかもしれない。それとも、すでに大磯を離れたのか。

地元民の多い地域には滞在していない。ああいう明らかな余所者が出没すれば、かれらが気づくもので、それらしい目撃証言も得られなかったからだ。

厄介なのは、誰かの別荘に居る場合である。これは発見が難しい。

三日目は、広志がアンペラ男探しに参加できなかった。サフラン栽培のことで、国府本郷村の添田辰五郎によばれたのだ。サフランの増殖が順調なので、いよいよ横浜衛生試験所への出願を検討するのだという。

茂は、天人からランチに招ばれた。いつものようにジャックが腕をふるってくれる。

「きょうは出かけないの」

五色の小石荘の東棟ダイニングに、腰を落ち着けたところで、茂は天人に訊いた。

「むこうはひとまず退いたとも考えられます」

と天人は言った。

「何らかの事情で、雇主がヒットマンに待ったをかけた、とか」

そうあってほしい、という思いを茂は口にした。

「あるいは、退いたとみせて、わたしを油断させてから襲う。殺人をビジネスとして行う者なら、どんな駆け引きでもするでしょう」

そこへ、マイクの妻ジェーンが、料理の皿を運んできた。

「牛肉のカトレットにございます」

日本の洋食店ではカツレツという。

「匂(にお)いだけで、もう美味(うま)い」

鼻を近寄せて、茂は匂いを吸い込んだ。

天人が何かに気づいて窓外へ目をやったので、茂も視線を振る。

マイクとジェーンのむすめであるケイシーが、こちらへ向かって、緑鮮やかな庭を走っている。

三段の階段からポーチへ上がり、玄関扉を引き開けるのが、音で知れた。

「大変です、ローダが……」

ダイニングへ走り込んできたケイシーは、父親のマイクに、摑んでいた紙切れを渡す。血相(けっそう)を変えている。

「天人さま」

マイクは、紙切れを天人に見せた。

　女児は手の内
　シンプソンの命と交換
　日没、参上仕(つかまつ)る
　　　　　　ジョー

「ちょっと目を離した間に……」

ケイシーは顔を覆って泣きだした。むすめのローダを浜辺で遊ばせていたのだ。にわかにローダの姿が消えたので、かくれんぼを始めたのだと思い、打ち上げられた流木や砂丘の陰や松林の中を探したのだが、どこにも見当たらない。それで、消える前にしゃがんでいた汀のあたりに戻ってみて、石の下に敷かれた紙切れを発見した次第だった。

「なんて薄汚いやつなんだ」

茂の中で怒りが沸騰する。

「ケイシー。心配ない。ローダはわたしが必ず取り返す」

天人はローダの母親をおのが胸に引き寄せ、その背をやさしく撫でた。

「マイクも、ジェーンも」

とローダの祖父母にも頷いてみせる。

「わたしどもは天人さまを信じております」

マイクの返辞に不安の揺らぎはない。

「ぼくが、ばかでした。ヒットマンは異人だったんだ」

ジョーと署名してあるからには、日本人ではないと茂は断定したのだ。

「いえ、茂さま。そうとは限りません。わたしは勘兵衛でもマイク、妻も佳でもジェーンにございますから」

　マイク一家の個々の英語名の通称は、ドイツ人商人のスネルに付けてもらったものだが、確かに近頃は、商売で異人名を気取るような日本人もいる。

「天人。ぼく、いまからまた、あいつを探しにゆく」

「やめておきなさい」

「だって、ローダが」

「この相手は、主導権を握っているうちは、自分の決めた通りに事を進める。もしこちらが、先に見つけて不意をつくようなことをすれば、瞬時に躊躇いなく人質を殺す。そういう性情とみてよいでしょう」

　二日の間、天人は誘ってみて、視線も殺気も感じることがあった。携帯した愛用のコルトピースメイカーで即座に反撃できるよう、集中もしていた。このジョーと名乗るヒットマンは、そういう天人の態勢を看破したと察せられる。だから、二度目の襲撃を断念し、手段を選ばず、確実に殺せる方法を思いついたのだろう。

「日没の時分に、むこうからやってくるのです。待ちましょう」

　富士山を茜色に染めて、夏の太陽が沈みゆく。

　海風に揺れる防風林に面して建つ二本の煉瓦造りの門柱の頂に、設えられたガラス球。その中の石油ランプに、ジャックの息子サイラスがいつもより少し早めに火を灯した。

白のパナマ帽と、軽快そうな白の洋服の上下に長身を包んだ天人は、広庭の中央に立っている。

門柱の石油ランプに火を入れ終えたサイラスは、広庭へ戻って、天人の斜め後方、やや離れたところに立った。

マイク、ジェーン、ケイシーと茂は、東棟のダイニングの窓から、天人を見ている。

ひとりジャックだけが、主屋の展望台に座り込み、狙撃銃を抱えて、静かに息を整えていた。どうなるか予測はつきがたいが、天人から合図が送られたときは、ジョーというヒットマンを射殺する役目なのだ。ジャックは、料理人ではあるが、ミズーリ州の天人の屋敷にしばらく暮らした頃、天人そのひとから手ほどきをうけ、才もあって、狙撃の腕はなかなかのものだった。

やがて、太陽が沈みきった。夕凪のときである。

満天の星だ。

（あのときみたい……）

茂は思い出した。松籟邸の人々が天人から初めて晩餐会に招待された夜も、食事を始める頃には、いまと同じように凪いでおり、空には星がちりばめられていた。

サイラスの上体が少し前へ出た。

遠くて、ダイニングからは見えないが、防風林の中より人が現われたのではないか。

ケイシーもそう思ったのか、両掌を合わせて祈る。

茂が察したように、防風林を抜けてきた人影は、門柱のところまで進んだ。

石油ランプの明かりに、ぼうっと浮かんだのは、アンペラ帽に着流し草鞋履きの男だった。懐手をしている。

（茂の勘は正しかった）

と天人は思った。

アンペラ男がゆっくりと歩を進めてきて、天人の五、六メートル前で止まると、懐手を出した。右手にピストルを持っている。

夜目の利く天人には、この距離なら、星明りだけで充分だった。アンペラ帽の端を少し上げて露出した男の顔貌を、確かに捉えた。

捉えた途端に、天人の息は止まった。

（あの男がヒットマンだったとは……）

ジョーのほうは無表情だ。

「上着を脱げ。ゆっくりな」

命じられて、天人はそうした。

現われたのは白の長袖シャツだが、薄地の涼しげなものだ。袖口のカフスの意匠には鷲があしらわれている。

「手を挙げて、後ろを向け」

これも、言われた通りにする。武器を持っていないか確かめられたのだ。

「そこの小僧。建物のポーチまで退がれ」

若いサイラスは、ジョーに挑みかからんばかりの強い視線を向けたが、天人に頭を振られて、悔しそうに退がってゆく。

「向き直ってもよろしいですか。それとも背中から撃ちますか」

天人が言うと、ジョーは薄く笑って、いいだろうと応じた。

「ローダはどこです」

「なんだ、ろおだとは」

「そちらが攫った女の子の名です」

「名なんぞ知らぬ。殺しを成功させるための道具にすぎんのでな」

「雇主はどこのどなたですか」

「明かすわけがないだろう。商いは信用が第一だ」

「まあ、あなたも雇主を知らないのでしょうね。どういう経路なのか、外国からの依頼では」

「何を言っている」

ジョーの声音に乱れが生じた。

「メリケン」

語調を強めた天人である。

「もういい、くだらん推理は」

「ところで、返していただけるのですか、ローダを」

「きさまを殺したら、大磯のどこかで解き放ってやる。勝手にここへ戻るだろう」

「それまではお仲間が見張っている、と」

「ああ」

天人は疑った。ジョーが、ああ、と言うとき、妙な間があったからだ。

（おそらく、ジョーに仲間はいない。一匹狼のヒットマンだ）

アンペラ男は新橋駅でも大磯駅でも独りだった、と茂も言っていた。

「きさまは一発では殺さん。おれを怒らせたからな」

「殺しは商いなのでしょう。無駄弾を使うのはよろしくないのでは」

「その減らず口だ」

「横浜でのあなたは、もっと恐ろしくて、隙もなかった」

「なんのことだ」

「玄番允だから、ジョーですか」

「な……」

驚愕し、身を強張らせたジョーである。

「わたしを憶えてはいないでしょうね、御家人くずれの猪子玄番允どの」

天人は、素早く右手で左のカフスを摘み、ジョーめがけて投げた。間髪を容れず、こんどは左手で右のカフスを取り、同様にする。カフスの飛礫打ちである。

一投目のカフスは、ピストルを持つジョーの右手の甲に刺さっている。意匠の鷲の翼部分が鋭利な刃物状になっているのだ。

暴発した銃弾が、あらぬ方向へ飛んでいった。

二投目のカフスは、人中に命中している。鼻と口の間の細長い溝を人中という。

血が飛び散り、割れた歯の欠片も飛んだ。

ジョーは、右手で口を押さえたが、ピストルを持っているのを忘れたか、おのが顔面をそれで撲ってしまい、自身の強烈な打撃にひっくり返った。

すかさず馳せ寄った天人は、ピストルを奪い取ってから、ジョーの体をうつ伏せにし、背中へ抉るようにして膝を押しつけた。

　ジョーが悲鳴を上げる。

「ローダはどこです」

「知るかっ」

　すると、天人はジョーの横腹へ拳を叩き込んだ。肋骨の折れる音がした。

「次は、折れた肋が心臓に突き刺さるまで撲りつづけます」

「やめてくれ」

「どこです」

「善福寺の横穴」

　高麗山の東麓の近く、鎌倉時代に伊豆の豪族伊東氏が開いた善福寺の岩山には多数の横穴があり、古墳時代の墳墓といわれている。

　新橋の安食組で危ない仕事をやっていた猪子玄番允が、どういう経緯で殺し屋になったのか知るよしもないが、この男が生きていては、これからも他人を苦しめつづけるのを誰も止められないだろう。

「天人さまあっ」

サイラスがポーチを離れて、天人のほうへ走り寄っていくのを、ダイニングの茂らは目で追っている。

遠目の上、暗がりでもあって、何もかも確とは見定め難いものの、銃声のあと、天人がジョーを取り押さえたようには見えた。

サイラスが天人まで達するわずか手前で、二発目の銃声が夜気を震わせた。

このあと、天人とジャックとサイラスとケイシーが大磯警察署へ急ぎ赴き、事のあらましを告げた。

ケイシーのむすめローダが誘拐され、身代金を受け取りにきた見知らぬ男と天人が揉み合いになり、男のピストルが暴発し、みずから弾丸を頭に食らって死んだ。揉み合う前にローダの監禁場所を聞き出していたので、これから助けに行くところだ、と。

巡査らも同道で、善福寺の横穴群へ行って捜索し、縛されたローダを発見した。

「こんなに可愛い子ゆえ、狙われたのだろう」

と警察も、天人らの話を全面的に信じ、むろんのこと、なんのお咎めもなしだ。

と処理してもよいというのが警察の見解だった。もともと天人は、火事場から地元の子らを救出するなど、大磯警察には心証が良いのだ。

犯人の死も、天人にすれば正当防衛であり、あるいは逃れられないと諦めて自殺、

「本当に、あのジョーってやつ、誰の依頼で天人を狙ったんだろう」

翌日、茂は天人とサンド・スキーを愉しみながら、訊ねた。

「聞き出す前にピストルが暴発しましたから」

「天人なら、止められたんじゃないの」

「思いの外、力強い男で、ピストルを取り上げることができなかったのです」

「そうなんだ。けど、これからも要心してよ、天人」

「ありがとう。要心します」

「さあ、次はぼくが勝つからね」

「どうでしょうか」

すると、下方で、明るい声がした。

「天人。茂。レッツ、スタート」

ローダが、頭上に掲げていた両手を、勢いよく振り下ろす。

松葉スキーを尻の下に敷いた茂と天人は、砂丘の頂から同時に滑り出した。

ふたりの前方に広がる大磯の海は、今年の夏も眩しくきらめいている。

〈了〉

森 バジル

Mori Basil

五つのジャンルが交錯する物語はこうして生まれました

いったいどうなっているのだろう、森バジルの頭の中は——。

読んだ人なら誰もがそう思わずにはいられない衝撃作『ノウイットオールあなただけが知っている』。

五章からなるこの長編小説は、各章が、①探偵とヤクザの駆け引きが助手の視点から語られる「推理小説」、②漫才にのめり込む男子高校生を描いた「青春小説」、③未来から来た悪者に狙われる美少女が主役の「科学小説」、④吸骨鬼（ヴァンボイア）と魔法使い（ウイザード）がバトルを繰り広げる「幻想小説」、⑤人に理解されない病のせいで恋愛に悩む女性の心理を描写した「恋愛小説」と、それぞれジャンルの異なる独立した短編小説として完結している。

それにもかかわらず、五つのストーリーが少しずつ重なり合い、「切縞（きりしま）」という架空（かくう）の街を共通の舞台として、ときに時空をも超越しながら、ひとつの長編作品に帰結する。わずか三ページの「エピローグ」まで読み切ったときに明かされる伏線の回収ぶりの鮮（あざ）やかさといったら、爽快感（そうかいかん）さえ覚えるほ

取材・文＝江藤詩文

『ノウイットオール
あなただけが知っている』
文藝春秋
定価：1,760円（10％税込）

もり　ばじる
1992年宮崎県宮崎市生まれ、13歳から作家を志し、九州大学を卒業後、福岡市で会社員をしながら執筆活動を開始。2018年、第23回スニーカー大賞《秋》の優秀賞に選ばれ、文庫『1/2－デュアル－ 死にすら値しない紅』（角川スニーカー文庫）を刊行。2023年、『ノウイットオール』で第30回松本清張賞を受賞。同作を改題した『ノウイットオール あなただけが知っている』で単行本デビュー。現在は会社員を続けながら次作のプロットを考案している。

ど。「すべての章で読者にびっくりして楽しんでもらいたい」と話す森バジルさんの思いをうかがった。

あなたの隣人は違う世界で生きている？

――第三十回松本清張賞を受賞した『ノウイットオール』。タイトルからインパクトがあります。〝Know-it-all〟つまり〝知ったかぶり屋〟。英語ではネガティブな表現として使われることも多いですよね。単行本化にあたっては「あなただけが知っている」というサブタイトルが加えられました。このタイトルにはどんな意味が込められているのでしょうか。

森　この小説は各章がリンクしていて、ある物語では脇役だった人物が別のエピソードでは主人公として登場したりします。あなた（＝読者）がよく知っているつもりで接している身近な人が、実は別の世界ではあなたの知らない顔で生きているかもしれない。知っていると思っているのはほんの一面だけかもしれませんよ。そんな風に読者の想像力を広げられたら楽しいと思い「ノウイットオール」をタイトルに選びました。

「あなただけが知っている」というサブタイトルは、松本清張賞の選考委員の皆さまの選評から拾ってつけさせてもらいました。「ノウイットオール」の前に「あなた」をつけると"You Know it all"直訳すると〝あなたはそれをすべて知っている〟。つまり読んだ人だけが登場人物のすべてを知ることができる。そんなネガティブとポジティブの両方の意味を持たせました。

――たとえば第二章「青春小説」では現代社会でリアルな高校生活を送っていた脇役が、第三章「科学小説」では、実はこんなことを考えていて、異次元と交流するストーリーに発展していくとは想像もしていませんでした。この奇想天外とも言えるユニークな着想はどこから得たのですか。

森　直接的なヒントになったのは二〇二一年十二月に日本で公開された英国映画『ラストナイト・イン・ソーホ

ー』です。この作品はタイムリープ・サイコ・ホラー映画で、主人公の女性は、ある女性の過去とシンクロし、とてつもなくファンタジックな恐怖体験をして、最後は下宿先が火事になるという幕引きを迎えます。観客はおよそ二時間、主人公の視点を通してアップダウンの激しい体験を共有するわけですが、最後に消火活動をする消防士がチラッと映ったのです。それを見た時に、この火事は主人公にとってはドラマティックなエンディングでも、脇役の消防士にとっては日常業務をこなしているに過ぎない。そんな消防士の視点に立つと、まったく別の世界が見えることに気づきました。この体験から、誰かにとっての脇役が別の時空では主人公になり、全員が主役であり脇役として、それぞれ違う物語を生きながら、その世界は少しだけ重なっているというプロットへと繋(つな)がりました。

驚きに繋がる構成にするために

――五つの章が異なるストーリーを紡(つむ)ぎながらひとつの長編へと集約される構成にも衝撃を受けましたが、それぞれの章がジャンルもバラバラの短編小説として、たとえばどんでん返しがあったり、ファンタジックな戦闘シーンがあったりと、エンターテインメントに満ち溢(あふ)れていて完成度が高いことにも驚きました。

森　実は松本清張賞には昨年も応募しており、最終選考まで残ったものの受賞には至らず。次こそ受賞したい、という思いはずっと持っていたので、今回の構成を思いついたとき、今年はこの作品でいこうと決めました。松本清張賞がオールジャンルの賞であることも後押しになりました。また、自分は一度ライトノベルでデビューしていますが、ジャンルにこだわらずにエンターテインメント作品を書きたいと思っていたということも、この構成に繋がっています。小説には、他にもたとえば歴史小説や私小説などいろいろなカテゴリーがありますが、その中でまず自分が好きで書きやすい五つのジャンルを選びました。

各章ごとに物語が完結しているのは、一章だけ読んでも読み手におもしろいと思ってもらいたかったからです。エンターテインメント小説なのだから、読者をびっくりさせて楽しませたい。そのため各章に、できるだけ前半に一度、全体では複数回、少なくとも一話に一度は驚いてもらえる要素を入れるように構成には凝りました。

——今回書かれたジャンルの中でいうと、個人的には「推理小説」を読むことが多いのですが、「幻想小説」と「恋愛小説」はあまり読まないので、新鮮な読書体験ができました。

森　そういう感想を多くいただいています。「これまで読まなかったファンタジーを読むきっかけになりました」などと言っていただけると、読んでくれた人の読書体験や想像の世界を広げるお手伝いができたようでとても嬉しいです。

ほんとうにやりたいことに挑戦したくて

――今作が表現する世界観も文体も、あまりにもバリエーションに富んでいるので「ほんとうに一人で書いたのか。グループの合作では」とちょっと疑ってしまいました(笑)。

デビュー作でこれだけの世界観を創(つく)り上げる背景には、ご自身のジャンルに縛られない豊富な読書体験の蓄積(ちくせき)があるのでしょうか。十三歳から作家を目指したとのことですが、読書好きが高(こう)じて作家を志したのですか。

森　幼稚園の頃は「エルマーのぼうけん」シリーズなどの絵本、小学校に入ると当時ブームだった「ハリー・ポッター」シリーズや「ダレン・シャン」シリーズといった児童向けのファンタジー小説を気に入っていましたが、特にずば抜けて読書量が多かった方でもないと思います。

小説家という職業を明確に意識して、読書をしたり、初めて小説を書いたりしたのは十三歳・中学一年生のときでした。きっかけとなったのは、綿(わた)矢(や)りさ先生の『インストール』『蹴りたい背中』と三並夏(みなみなつ)先生の『平成マシンガンズ』。ふたりとも十代でデビューしていたので、自分もそうなりたいと初めて小説を書き「文藝賞」に応募しました。中学校生活を愚痴混じりに書いただけの、小説ともいえない文章の塊で、当然受賞なんてできませんでした(笑)。

それからも小説家になりたいという思いは抱えつつ、実際には十年くらい小説を書くことはなかったのです。本格的に執筆に取り組んだのは社会人になってから。会社員として働き始めてみると、どうしても仕事に費やす時間が長くなり、このまま何もしないでいるとほんとうにやりたかったことができないままになると感じました。そこで、小説を書くということに、具体的にスケジュールを立てて取り組みました。

姓はシンプルに覚えやすく名は自由に

――作品もオリジナリティに富んでいますが〝森バジル〟というペンネームも中性的かつ自然を感じさせ素敵です。登場人物の名前も「葉由」「桜花」など個性的ですね。名前はどうやってつけたのでしょうか。

森　ペンネームは「山崎ナオコーラ」先生のように苗字はシンプルで一般的、名前はカタカナがいいなと思いました。これならふりがながなくても読み間違えられず、誰にでも覚えてもらいやすいですから。

登場人物の名前は、特に今回のような作品は人数が多いですから、わかりやすくするためにも苗字は覚えやすく、名前は好きにつけています。今回ヒントにしているのは中国の「五行思想」。「木・火・土・金・水」の五行に色、方位、時、気などを組み合わせたマトリックスを眺め(なが)ながら名付けていきました。

――「五行思想」からインスピレーションを得ていらしたとは。ネーミングも含めてほんとうに楽しめる作品でした。

今後はどのような作品を書いていきたいとお考えですか。

森　自分が伏線を綺麗に回収するストーリーが好きということもあって、今回はとにかくプロットには凝りました。この作品で受賞して多くの方に楽しんでいただけているということは、次作もまた構成に期待されるのかなと思いますので、しっかりと時間をかけて考えたいと思います。これから一作でも多くの作品を書き続けていきたいですね。

森バジルさんの作品

『1/2―デュアル―
死にすら値しない紅』
角川スニーカー文庫
電子版あり

推し本、語ります 1

静かだけど、底に熱いものが流れている作品が好き

カニササレアヤコ（お笑い芸人）

取材・文＝北村浩子

子供の頃から、本はとても身近な存在でした。家族で旅行をする時、私の父と母は、それぞれ選んだ本を四、五冊持って、旅先でそれを全部読んでいたんです。本を読むために旅行しているんじゃないか、と子供心に思っていました。私自身も、母に連れられて図書館へ行くのが楽しみで、毎週なにか借りていました。

当時読んだもので忘れられないのは、O・R・メリングの『夏の王』。妖精が出てくるダークファンタジーで、作中のアイルランドの風景を想像

カニササレアヤコ　1994年生まれ。お笑い芸人、エンジニア、雅楽演奏家。平安装束をまとい「笙」を使ったネタで「R-1グランプリ2018」決勝に進出。人間と対話ができるソフトバンクグループのヒト型ロボット「ペッパー」のアプリ開発に携わる。22年から東京芸術大学音楽学部邦楽科雅楽専攻に在学。

してわくわくしたことを覚えています。子供の時に好きだった本を、大人になってからもう一度買ってみるのもいいものですよね。思い出を手元に置いておきたくなるというか。これもそんな気持ちで、大人になってから買いなおした一冊です。

　ファンタジーといえば、森見登美彦（もりみとみひこ）さんの『ペンギン・ハイウェイ』も大好きです。小学生男子が語り手の物語でありながら、子供を子供扱いしていないところ、ほんのりとせつないところがいいなあと。映像が読者の頭の中に広がっていく、自分がその世界にいるような気持ちにさせてくれる文章がとても好きです。

　いしいしんじさんや小池昌代（こいけまさよ）さんの文章も、読んでいてうっとりしてしまいます。お二人の文章は、言葉のひとつひとつを「置いていく」ような書き方だと感じます。受ける印象はとても静かなんだけれど、奥底に熱いものがあって、ほのかに官能的な匂いもする。

　初めて小池さんの作品に触れたのは中学の頃、模試かなにかに出題された「鹿を追いかけて」という一編でした。撃たれる直前の鹿の姿をとらえた村野四郎（むらのしろう）さんの「鹿」という詩をとりあげたエッセイです。ノンフィクションなのに、どこか創作を読んでいるような読み心地で、問題を解きながら「良すぎない？　この文章」とちょっと圧倒される思いがしていました。テストの後もずっとこのエッセイのことが記憶にあって、小池さんの作品集『黒雲の下で卵をあたためる』に収録されていることを知り、購入して、あらためていいなあと思いました。

　本との出合い方っていろいろですよね。知り合いの能楽師、安田登（やすだのぼる）さんが好きだとおっしゃっていて興味をひかれたのが、ナイジェリアの作家、エイモス・チュツオーラの怪作『やし酒飲み』です。ものすごくへんてこなことで名高い作品。読んでみたら、もう、ほんとに、あきらかにおかしかった（笑）。ひとことで言うと、やし酒が好きな語り手の「私」が旅をする話なんですが、「私」が突然いろんなものに変身したり化け物が出て来たり、なんでもありなんです。熱くて怖くてしんどくて、でもなにか不思議なユーモアもあって、どんどん読んでしまう。こんな奇想天外な作品を翻訳した方は、すごいなあと思いました。

　ガルシア・マルケスの短編「大きな翼のある、ひどく年取った男」も、同じく暑い場所、太陽光の強い土地から生まれた作品だと感じます。ある夫婦の家の庭に、羽の付いた老人が倒れていたことから町がざわめき出して……という話です。これも奇妙な現象がごく自然に、普通に起きる。当たり前の出来事として書かれています。心温まる物語ではないんですけど、だからこそ読んでいて安心する。人間の行動を善悪の基準で書かない、そもそもそういう基準がない世界が広がっているんですよね。二年くらい前に読んで、強い印象を受けました。

デイヴィッド・アーモンドの『肩胛骨は翼のなごり』も翼のあるくたびれた男が出てくるんです。家のガレージで彼を発見した少年が、隣家の少女と協力して男の世話をするというストーリー。登場人物たちを照らす光が柔らかく、終始優しい視線が感じられる美しい物語でした。

この作品は高校の時、図書室の入り口の新刊コーナーで見つけました。司書の先生の選書がとても好きで、話をしたことはなかったんですがセレクトをすごく信頼していました。大好きな絵本作家ショーン・タンの作品に出合えたのもその司書の方のおかげです。

今、大学で雅楽を学んでいるので専門書も買わなければならないんですが……。小説や美術の本も、本当はもっと読みたいです。今まであまり読んだことのない国の作家の作品もこれからは開拓していきたいですね。

『ペンギン・ハイウェイ』
森見登美彦／角川文庫／704円

『肩胛骨は翼のなごり』
デイヴィッド・アーモンド／創元推理文庫／770円

文蔵

◆筆者紹介◆

10月号

あさのあつこ

54年岡山県生まれ。「バッテリー」シリーズで数々の賞を受賞。著書に、「おいち不思議がたり」「The MANZAI」「NO.6」「弥勒の月」シリーズ、などがある。

小路幸也　しょうじ ゆきや

61年北海道生まれ。02年『空を見上げる古い歌を口ずさむ』で第29回メフィスト賞を受賞。著書に「東京バンドワゴン」「花咲小路」シリーズなど。

瀧羽麻子　たきわ　あさこ
81年兵庫県生まれ。２００７年『うさぎパン』でダ・ヴィンチ文学賞大賞を受賞し、デビュー。著書に『ありえないほどうるさいオルゴール店』『博士の長靴』など。

寺地はるな　てらち　はるな
77年佐賀県生まれ。14年『ビオレタ』で第4回ポプラ社小説新人賞を受賞。著書に『川のほとりに立つ者は』『水を縫う』『ガラスの海を渡る舟』など。

西澤保彦　にしざわ　やすひこ
60年高知県生まれ。95年に『解体諸因』でデビュー。著書に『七回死んだ男』『パラレル・フィクショナル』、「匠千暁」「腕貫探偵」シリーズなど。

宮部みゆき　みやべ　みゆき
60年東京生まれ。『理由』で直木賞を受賞。『〈完本〉初ものがたり』『あかんべえ』『ぼんくら』『桜ほうさら』『この世の春』『きたきた捕物帖』など著書多数。

宮本昌孝　みやもと　まさたか
55年静岡県生まれ。『天離り果つる国』で、『この時代小説がすごい！　22年版』の単行本部門第一位を獲得。著書に、『剣豪将軍義輝』『ふたり道三』『風魔』など。

村山早紀　むらやま　さき
63年長崎県生まれ。『ちいさいえりちゃん』で毎日童話新人賞最優秀賞、椋鳩十児童文学賞を受賞。代表作に「コンビニたそがれ堂」「桜風堂ものがたり」シリーズなど。

文蔵◆バックナンバー紹介

Vol.186 ２０２１年12月
〈特集〉**特殊設定ミステリが面白い**

Vol.187 ２０２２年１・２月
〈ブックガイド〉**「ものづくり」小説を堪能しよう**

Vol.188 ２０２２年３月
〈特集〉**「小説カフェ」で一休み**
●新連載小説 **高嶋哲夫**「首都襲撃」（〜２０２３・５）

Vol.189 ２０２２年４月
〈ブックガイド〉**「桜小説」で、春を味わう**

Vol.190 ２０２２年５月
〈特集〉**「ヘタレ」な主人公が愛おしい**
●新連載小説 **宮本昌孝**「松籟邸の隣人」

Vol.191 ２０２２年６月
〈特集〉**平安時代の小説が刺激的**

Vol.192 ２０２２年７・８月
〈ブックガイド〉**動物と小説でふれあおう**

Vol.193 ２０２２年９月
〈ブックガイド〉**小説で「お金」を考える**

Vol.194 ２０２２年10月
〈特集〉**いま読み始めたい文庫シリーズ小説**

Vol.195 ２０２２年11月
〈特集〉**図書館、博物館小説で文化を味わう**
●新連載小説 **福澤徹三**「恐室 冥國大學オカルト研究会活動日誌」（〜２０２３・７・８）

Vol.196 ２０２２年12月
〈特集〉**山口恵以子デビュー十五年の軌跡**
●新連載小説 **小路幸也**「すべての神様の十月㈢」

Vol.197 ２０２３年１・２月
〈ブックガイド〉**新世代のミステリー作家に大注目**

Vol.198 ２０２３年３月
〈特集〉**「建物」が生み出す物語**
●新連載小説 **西澤保彦**「彼女は逃げ切れなかった」
●新連載エッセイ わたしのちょっと苦手なもの

Vol.199 ２０２３年４月
〈特集〉**二刀流作家の小説が面白い**

Vol.200 ２０２３年５月
〈特集〉**あさのあつこ その作品世界の魅力**

Vol.201 ２０２３年６月
〈特集〉**時代を映す「青春小説」**
●新連載小説 **瀧羽麻子**「さよなら校長先生」

Vol.202 ２０２３年７・８月
〈特集〉**ジョブチェンジ小説で未来を拓け**
●新連載小説 **村山早紀**「桜風堂夢ものがたり２」

Vol.203 ２０２３年９月
〈特集〉**竹宮ゆゆこ作品の魅力に迫る**
●新連載小説 **あさのあつこ**「おいち不思議がたり」
寺地はるな「世界はきみが思うより」

※創刊号（２００５年10月）〜Vol.172（２０２０年７・８月）は品切です。

目次は文蔵HP **[https://www.php.co.jp/bunzo/]** でご覧いただけます。

ＰＨＰ文芸文庫　文蔵 2023. 10

2023年９月29日　発行

編　　者　「文蔵」編集部
発 行 者　永田貴之
発 行 所　株式会社ＰＨＰ研究所
東京本部　〒135-8137　江東区豊洲5-6-52
文化事業部　☎03-3520-9620(編集)
普及部　☎03-3520-9630(販売)
京都本部　〒601-8411　京都市南区西九条北ノ内町11
PHP INTERFACE　https://www.php.co.jp/
制作協力
組　　版　朝日メディアインターナショナル株式会社
印 刷 所
製 本 所　図書印刷株式会社

ISBN978-4-569-90346-0